Nomeolvides

Paula Amor Poniatowska

Nomeolvides

Traducción y prólogo de
Elena Poniatowska

PLAZA & JANÉS

Portada y álbum fotográfico: Trilce Ediciones
Fotografía de la portada: Edward Weston
Primera edición: 1996

© 1996, Paula Amor Poniatowska
© de la traducción y el prólogo, Elena Poniatowska
© 1996, Plaza & Janés Editores, México
  Una división de Bertelsmann de México, S. A. de C. V.
  Jordaens 34, 1-2, 03710, México, D. F.

ISBN: 968-11-0174-X

Composición tipográfica, diseño interior y formación:
Grafitec, Pedro Luis García

Impreso en México/*Printed in Mexico*

Para Elena

A gradezco a mi amigo Manuel Pliego el
haberme alentado a publicar estas memorias

Índice

Aleluya

Los preparativos son lentos. Se cepilla el pelo y recuerdo cuando se le hacía una aureola de cabello castaño encendido en torno al rostro y yo la miraba como a una aparición. Cien cepillazos diarios con dos cepillos de cerdas de jabalí como se lo dijo Marchino en París. Ahora su pelo es blanco y lo cepilla un poco. Luego va al baño, se lava la cara y los dientes, regresa y frente al espejo pone crema en su rostro. Pasa de un escenario a otro, del espejo a la cómoda, de la ventana al espejo, de la mesa de noche al clóset.

A veces, en algún cuarto de hotel, en otra ciudad, se ha quedado oyendo al inquilino de arriba y dice: "Mira cuánto camina". Siempre está consciente del otro. Piensa en los demás más que en ella misma. ¿Qué les pasará? ¿Qué serán? ¿Qué pensarán? Desde niña fue así. Bajaba al comedor del hotel d'Iena, donde se hospedaban, y frente al mantel blanco, entre las tazas de té, la madre y sus tres niñas hacían conjeturas acerca de los demás comensales y le preguntaban al *maître d'hôtel* qué había sido de uno u otro. Hoy adivina: "Se dirije al ropero; ahora va a prender la televisión". No me lo dice, pero sé que sabe que caminamos en círculo alrededor del cuarto. Imperceptiblemente pasamos de una estación a otra, de un año a otro, de un pensamiento al otro. Los pensamientos se acomodan por capas, a varios niveles, las memorias también, y uno los oye como a aparecidos; allí están, en el espacio, no hay ni que jalar la gaveta, se meten, interrumpen, penetran la piel, son parte de nuestras fibras. Se mueven.

En la oscuridad de la noche, quién sabe cuántos seres pasan por las tuberías del agua y vibran dentro de las paredes, bacterias, células, peces diminutos, aguamalas, nomeolvides azules del tamaño del ojo de una aguja. En el silencio de la noche, dentro de las cañerías parten las embarcaciones de la ciudad, aquellas que pasan bajo el arco de nuestros pies.

Si es noche de luna, la saluda desde la ventana. Siete veces se inclina ante ella. Corro entonces a su lado a compartir el rito y las dos bajamos la cabeza al unísono.

Todas las estaciones están en su sangre, en esas venas oscuras que saltan en sus manos. Mamá, en su camisón corto, su piel lisa, sus rodillas que apuntan hacia adentro parece una niña y tiene 87 años. Trajina por el cuarto buscando no sé qué. Siempre ha buscado algo. No puedo pensar en ella si no es buscando sus llaves, su bastón, su bolsa, sus anteojos, la mirada del otro. En el enchufe del baño, ése para que se rasuren los señores, recarga las pilas de su aparato de sordera y algunas veces lo olvida. En el momento de partir dice: "Olvidé mi aparato". Regresamos y lo veo como cucaracha prendido a la pared. Lo jalo. No quiero dejar nada de ella, oscilo, quiero dejarlo todo para que sepan que ella estuvo aquí y perfumó la recámara.

Siempre ha pedido un cuarto con vista. Los cubos, los muros la encarcelan. "La ventana abre sobre un muro" dice consternada. Corro a la administración a ver si podemos cambiarlo. "Sí, en el séptimo piso". "No importa, con tal de que tenga vista".

Abre su veliz, desplaza los papeles de china, los zapatos hasta el fondo, cada par en su bolsa, el libro que está leyendo, el agua de colonia, el talco, los Evangelios, su misal, las blusas, los vestidos hasta arriba, todo muy bien alisado, cada pliegue en su lugar. En un rincón, doblado sobre sí mismo, su amuleto: un diminuto portarretratos de acordeoncito en el que estamos papá de militar, Kitzia, mi hermano y yo. Es lo primero que pone sobre la mesa de noche. "No eres muy refinada" dice cuando abro mi petaca. Lo seré más tarde, por ella, por acrisolar sus finezas, a la manera de sor Juana.

A veces finjo dormir porque temo el momento en que se va a hincar. Antes de meterse a la cama, se arrodilla y hace su oración. Desde las plantas de sus pies descalzos y sus rodillas de vid anudada, por sus muslos, por su vientre de madre hasta su garganta, se van levantando las palabras que no oigo pero sé que allí están como los bichitos en las cañerías. Escuchó su música humilde. Me penetra el terror. Quisiera ponerla de pie y aventarme al loco bullir de la calle, bajarme con ella al cabaret del hotel y sacarla a bailar, acinturarla y sacudirla en medio de trombones, clarines y tarolas; enlazarla en un rock salvaje y hacer que todos los años regresaran al interior de las trompetas que succionan el tiempo; que los años cayeran a lo más hondo del oceano con sus cabellos blancos, sus dos cepillos, la placa de platino en su fémur. Aprieto los ojos, aprieto los dientes, aprieto los puños, aprieto las estrellas. Se levanta despacio, con un poco de dificultad desde que se rompió la cadera. Antes era un puro resorte. Una vez en la cama pregunta: "¿Ya te dormiste, manzana?" (Así me dice, manzana). Hundo la cabeza en la almohada y gruño. Sé que ella está acostumbrada a prender la luz y a leer los Evangelios cuando despierta y que hoy, en esta noche de Guadalajara, no lo hará para no despertarme.

Sé que también que dentro de cuatro o cinco horas bajará de la cama para lanzarse en la oscuridad al baño y le diré: "Mamá, prende la luz, te puedes caer" y ella a su vez se preocupará:

—¿Por qué no duermes?

—Es que no conoces este cuarto.

Regresa y vuelve a echar la sábana y la cobija encima de su cuerpo yacente, se encierra en un blanco sobre de pulcritud. Nadie parece dormir en esa cama de tan plana. De nuevo apaga la luz. Aventuro:

—Si no te puedes dormir, lee.

—No, quiero que duermas.

—No puedo dormir si tú no duermes.

—Ahora me duermo, manzana.

¿Cómo voy a saberlo si no la oigo? Ningún sonido sale de su cama. Apenas si se mueve. Así le enseñaron. Tampoco mis hijos se mueven. No los oigo. Nunca sé si están dormidos. Cuando dormimos juntas, Paula, mi hija, inquiere a media noche:

—¿No puedes dormir?

La membrana más delgada nos separa, así debe ser el tímpano, una telita tan fina como la de la araña. A cada rato se nos revienta, a cada año, a cada trompetazo, a cada golpe de viento, cada vez que zarpa un barco en nuestros huesos o cuando la lluvia cae a torrentes sobre el pavimento negro o sube la temperatura y mi madre me dice: "No me hables a gritos" porque lo que ella escucha es mi angustia.

A la mañana siguiente, los preparativos para el día también son lentos. Ya nunca toma baños de tina, porque le dije que la tina era para flojos. Oigo el fuerte empuje de la regadera. Sale envuelta en toallas blancas y me dice que baje yo a desayunar, que ella me alcanza. Miles de gotas de agua cantan sobre sus hombros. Son diamantes. Me queman. Ella me quema. No puedo estar mucho tiempo a su lado porque algo se incendia entre nosotras aunque nunca nos lo hemos dicho. En el comedor del hotel, ordeno papaya para ella y jugo de naranja para mí.

Desde la mesa, la veo venir con todo su desprendimiento entre las mesas, precedida por esa mirada interrogante de los sordos (también Buñuel miraba así). Cada uno de sus pasitos me conturban. Viene olvidada de sí misma, nunca ha tenido conciencia de lo que es.

No me levanto para ir a su encuentro porque le recontrachoca que le dé el brazo. "Yo puedo" se enoja. Le disgusta que la ayuden. "Yo puedo". Entonces, mientras llega envuelta en sus fantasmas, le digo bajito que ella es lo más heroico que me ha tocado y que aunque no la vi manejar su ambulancia durante la guerra y meter en su interior hasta a un burro con tal de salvarlo a él también de las bombas, la he visto después a lo largo de los días, levantarse, abotonarse tantísimos botones, ir a misa, cambiar el agua de las flores, pagar el gas, ir al mercado, escribir, esperar, decir que el Pipo es un perro loco, "insoportable, ya se comió la alfombra, no, no lo quiero regalar, qué haría sin mí, que haría yo sin él, oye manzana, no es por criticar a México pero ¿no crees que hace demasiado calor?"

Le jalo la silla, se sienta, se le cae su bastón (siempre se le cae su bastón cuando se sienta) y vuelve hacia mí sus límpidos ojos castaño claro:

—¿En qué piensas?

—Siempre me preguntas lo mismo —refunfuño—; en nada, ¿en qué quieres que piense? ¿Qué vas a querer, Cornflakes o huevos?

Elena Poniatowska

Después de la muerte de Jan, llegaste un día con tu inseparable libreta. Habías leído el testimonio.

En tono perentorio me dijiste:

—Mamá, cuéntame tu vida.

Un poco desconcertada (porque siempre me desconciertas) te respondí:

—No sé por dónde empezar, no es tan fácil.

—Entonces, escríbela.

He aquí la razón de estas memorias momentáneas.

La infancia al galope

Nací el 4 de junio de 1908 en el número 60 de la avenida Kleber, en París. Mamá me contó que papá sintió tal decepción al ver una tercera hija que dejó caer la caja con los instrumentos quirúrgicos del ginecólogo. Esperaba un pequeño Pablo. Sin duda, por eso decidieron llamarme Paulette, a pesar de que en mi acta de nacimiento aparezco con el nombre de María de los Dolores.

Supongo que el nombre de Dolores me fue dado por mi tía-madrina Lola Attristáin de Yturbe, una señora ya grande que vivía en la planta baja de la Place des États-Unis y llevaba velos negros. Más tarde, mis padres pensaron que Dolores no hacía juego con Amor y que más valía llamarme Paula y decirme Paulette. Sin embargo, pienso que Dolores es mi verdadero nombre porque sufrí mucho de amor.

Creo también que fue bueno que Dolores se escondiera tras la pequeña Paulette.

Mis recuerdos más lejanos se remontan al 44 de la avenida d'Iena. La entrada a ese departamento era enorme y estrecha y papá practicaba en ella sus *swings* de golf. Ponía una pelota de hule sobre un *tee* y la enviaba contra la puerta. La persona que en ese momento la abriera corría el riesgo de recibirla en un ojo.

Papá había sido educado en Stoneyhurst, Inglaterra, y toda la vida se vistió en Londres. Recuerdo su ropero repleto de zapatos. Además de jugar golf, montaba a caballo, jugaba al polo y en el invierno hacía esquí en Saint Moritz.

Mi abuelo, José María Amor y Escandón, salió de México en 1863, antes de la llegada de Maximiliano y Carlota. Seguramente la situación del país no era boyante, pues el más joven de sus hijos, Luis, recordaba a su padre cantando un *Te Deum* en el tren que lo alejaba para siempre de México.

Mi abuelo se casó en primeras nupcias con Leonor Subervielle que le dio un hijo, Wilfrido. Al enviudar, la hermana de Leonor, Adelaida, ocupó su lugar y dio a luz diez muchachos, de los cuales dos murieron jóvenes. Conservo la foto de esos ocho Amor, todos vestidos de perfectos *gentlemen* ingleses educados en Stoneyhurst.

Leonor, Adelaida y Luis —nacido en México— eran hijos de Aristides Subervielle, de nacionalidad francesa, afincado en México debido a sus negocios. Fue sin duda una de las razones por las cuales mi abuelo quiso regresar a Francia para vivir en su casa de Varangeville, en Normandía. Dejaba tras de sí la Hacienda de San Gabriel, que formaba parte del Marquesado de Oaxaca. Consistía en 60 mil hectáreas, casi todo el estado de Morelos, de las que sólo habían sembrado de caña 10 mil. Adelaida, que venía de las brumas del norte, soportaba mal el calor de Puente de Ixtla, y era especialmente vulnerable a los piquetes de moscos y a los de alacrán que la agredían por turnos. Solía quejarse: "Ya me picó un mosquito, por ahí debe venir el alacrán". Sus hijos mayores regresaban a México para vigilar su propiedad y su criadero de caballos purasangre. El duque de Cimera compró diez caballos y fue mi tío Alejandro quien los llevó a España y se quedó allá definitivamente.

Fíjate, Elena, qué chiquito es el mundo. En sus memorias, *De un siglo al otro*, tu abuelo, el príncipe André Poniatowski quien también fue un gran conocedor de caballos, cuenta su visita a San Gabriel. Vino a México desde Nueva York a visitar a su hermano Carlo, dos años mayor que él, en la primera semana de marzo de 1893.

Casado con una estadounidense, Maud, tanto ella como su madre, Ely Godard, tenían una inclinación tan desenfrenada hacia la vida mundana que a pesar de haber comprado una hacienda jamás se sintieron satisfechas con la vida del campo. Esto llevó a mi hermano a deshacerse de la hacienda y vivir en la ciudad de México, donde ya tenía muchos buenos amigos, como los Escandón y los Yturbe, a quienes, como yo, había conocido en París. La casa en forma de media luna en la que vivía Carlo, en una glorieta sobre el Paseo de la Reforma, pertenecía a Ignacio de la Torre, yerno de Porfirio Díaz.

Fuera del Jockey Club, el polo, las carreras, no había gran cosa qué hacer en México y tuve que plegarme a ese tipo de existencia, sobre cuyos encantos mi cuñada me instruía, y que consistía en montar a caballo en la mañana con ella, lo cual era la parte más agradable del horario que me había sido impuesto, porque ella montaba muy bien y en ese terreno nos entendíamos. No sucedía lo mismo cuando bajábamos del caballo. Al regresar de nuestros paseos teníamos, ya fuera en alguna legación extranjera, en casa de algún amigo o en la nuestra, comidas que se convertían en sesiones de palabrería interminable acerca de los lugares en la mesa, el menú y los errores cometidos en reuniones anteriores.

Joaquín y Víctor Amor estaban solos en San Gabriel y recuerdo con nitidez el amplio patio en escuadra por el cual se llegaba, por un lado, al ingenio azucarero y por el otro a las caballerizas con magníficos caballos. La casa, que daba a un jardín encantador, era cómoda y espaciosa.

Cuando en 1910 los zapatistas tomaron la hacienda comandados por el terrible Genovevo de la O, mi tío Joaquín estaba solo. Afortunadamente pudo salvarse y llegar a caballo al pueblo de Parres, donde tuvo la sorpresa de encontrar a su perro Rats, un fox terrier de pelo duro. Lo había seguido sin que él se diera cuenta.

Incapaces de dominar a los purasangre, los revolucionarios les reventaron los ojos a punta de cachazos.

Mamá y su hermana Teresa —Auntie Geis— patinaban sobre hielo con falda larga y sombrero. Llegaron a hacerlo tan bien que bailaban vals. En esa época las mujeres no esquiaban ni usaban pantalón. Toda la familia iba a veranear al Touquet o a Bourneville en casa de mi tía Laura de la Torre, quien casó en segundas nupcias con Víctor Amor, hermano de papá. A su vez, sus dos hijas se casaron con dos hermanos Polignac, María con Xavier y Lala con Maxence.

Auntie Geis era esbelta y fina, tenía el rostro redondo y los ojos felinos heredados de su madre, Hélène Ydaroff de Yturbe. Mamá tenía un rostro más ancho, del que se quejaba, sin razón, porque su perfil era igual al de la Beatriz d'Éste de Ghirlandaio.

Burlones, sus hermanos le decían "La gorda Lulú". El mayor, Felipe de Yturbe, Pipo, era gentil y débil. Yo lo quise mucho. Francisco, Paco, llamado por su madre "El Niño Dios", era un personaje de novela rusa, con sus ojos de un azul claro y penetrante. José Clemente Orozco lo tomó como modelo para el rostro de Hidalgo pintado sobre la escalera del Hospicio Cabañas, en Guadalajara. Su bella cabeza de profeta bíblico nos impresionaba, así como su personalidad ciertamente soberbia.

Durante tres años seguidos mis padres alquilaron un castillo en Inglaterra: Fairlight. Bichette, tu tía, tiene un álbum de fotos de ese castillo almenado, cubierto de hiedra, con un vestíbulo inmenso tapizado de cabezas de ciervo. Después de tres años lo abandonaron debido al frío y se instalaron en París. Íbamos también a casa de Auntie Geis en Choisy au Bac, cerca de Compiègne.

En Navidad, Auntie Geis colocaba en el salón principal un árbol deslumbrante de luces que se elevaba hasta el segundo piso. El primer día el árbol era para nosotros, el segundo, para los niños del pueblo que recibían de sus manos, cada uno, un regalo.

Antes de la guerra, papá compró un coche Dédion Bouton

rojo y negro a rayas. Para abordarlo, mamá se ponía un gran sombrero con un velo encima que la protegía del viento. Nosotras, las tres niñas, teníamos un cochecito de paseo, un tonel que nos llevaba con nuestra *nanny* al bosque, tirado por Sultán, el caballo.

Debido a aquella *nurse* mis primeras palabras fueron en inglés. Más tarde vinieron institutrices alemanas. En una ocasión, una de ellas me acostó con mis botitas blancas, falta que mamá descubrió por azar al venir a darme un beso de buenas noches antes de irse a una cena enfundada en un vestido de Worth o de Callot. La veo aún. Muy bella y oliendo a perfume, la parte alta de su vestido de satín coral se abría en punta sobre su precioso escote.

Durante la ausencia de alguna institutriz, mi hermana Lydia, cuatro años mayor que yo, tuvo la mala idea de empujar mi carriola por la empinada avenida d'Iena. Recuerdo mi rabia al verla levantar los brazos al cielo creyendo que terminaría mi carrera bajo un automóvil. Afortunadamente me detuvo uno de esos árboles rodeados de un enrejado en forma de estrella.

Nuestro departamento era muy amplio, la *nursery*, tapizada en verde botella, tenía una franja de becassines en la parte alta. Guardo un mal recuerdo de ese color, quizá por las espinacas que me volvían a servir frías en la noche si las había dejado en mi plato a la hora de la comida.

Todo ese lujo, esa época feliz e inconsciente, se interrumpió con el estallido de la guerra en 1914. Las institutrices alemanas —señaladas con el dedo en la calle— regresaron a su país y nosotros tomamos el camino a Biarritz, donde se habían refugiado otras familias mexicanas en villas más o menos espaciosas. Los Yturbe de la Place des États-Unis vivían en una casa estilo medieval que dominaba la Grande

Plage; los Corcuera, los Subervielle, los Landa, los Rincón Gallardo se instalaron alrededor del Jardín Público y nosotros, después de pasar algunos días en un hotel del Port-Vieux (en el que se escuchaba soplar el viento y rugir el mar y del que guardo un recuerdo siniestro) terminamos viviendo en la pensión Toki-ona, frente al Cinema Moderno.

Ocupábamos un piso que mamá arregló lo mejor que pudo; su recámara quedó en la esquina, luego la de papá, la mía, la de mis hermanas, un saloncito y el baño. El baño se encontraba al fondo del corredor.

Durante esos cuatro años de guerra, mamá vendió sus alhajas y sus muebles para mantenernos. Hélène Subervielle compró el mobiliario del salón de la avenida d'Iena que tuvo que vender, a su vez, más tarde, arruinada por la Revolución Mexicana que le arrebató su hacienda.

Mamá era muy valiente. Nunca le oí una queja, aunque tenía razones para ello, porque papá cayó gravemente enfermo, física y moralmente, y quedó semiparalizado. Aún me veo frente a él en el saloncito de Toki-Ona. Yo había puesto un disco y bailaba con mucho gusto creyendo que él me admiraba cuando de golpe abandonó su sillón, se puso de pie, el puño en alto y me amenazó. Salí corriendo.

¿Por qué lo hizo? Nunca lo sabré.

El 29 de octubre de 1918, un día antes de su muerte, papá me reconoció y cuando lo abracé me dijo con ternura:

—Paulette…

La enfermedad y la muerte de papá me persiguieron durante mucho tiempo.

Mamá se ocupaba mucho de mi salud pero no me decía para qué eran las medicinas. Por eso llegué a creer que yo padecía el mismo mal que papá. Desde entonces creo que a los niños hay que decirles siempre la verdad.

Una institutriz, mademoiselle Roux venía a enseñarme a Toki-Ona a leer y a escribir, y preparó a Bichette para el *Brevet Supérieur*. Mi hermana reprobó. Fue una decepción para todos.

El martes era un día feliz porque el correo me traía *La semaine de Suzette*. También el jueves, que nos daba derecho a una tablilla de chocolate con nuestro panecillo. Aún veo el pastel Saint Honoré tirado sobre el piso por la sirvienta y vuelvo a sentir tristeza, pues no lo teníamos con frecuencia. Yo era golosa y berrinchuda. Mamá me llamaba "pequeña verdura", porque decía que siempre estaba verde.

Me encantaba leer y mi alegría fue grande cuando mis regalos de cumpleaños y de Navidad fueron cuatro libros de la condesa de Ségur. Sólo tenía una muñeca, "Jacotte", de ojos redondos, a la que no quería mucho. En cambio, me fascinó una casa de muñecas de cartón que Rica fabricó para mí.

Mi tío Pipo, hermano de mamá, se había casado con una rumana que conoció en un elevador: Constancia Illesco. Como viajaban mucho, la tía Constancia, a quien llamábamos Mic, le confió a su hija, Viorica Murgulesco, Rica, para que no estuviera sola.

En las mismas circunstancias de abandono llegó a la pensión Toki-Ona, Muna, nieta del dictador venezolano Guzmán Blanco e hija de primos hermanos que vivían separados. Los padres eran muy bellos, pero Muna, hija de sangre demasiado cercana, adelgazó hasta parecer lámina de cuchillo y al final de su vida se le veía deambular como un fantasma.

En esa época mamá era amiga de Francis Jammes y lo

consultaba a propósito de la educación de sus hijas. De él recibió una carta escrita desde Hasparren, el 19 de julio cuando Bichette tenía doce años:

Veo frente a mí, cuando levanto los ojos, la maravillosa viñeta de Nuestra Señora de Guadalupe, en una mesa grande que mandé instalar, después de su partida, en la recámara en la que murió mi madre y en la que leímos y rezamos ese día de tempestad. El delicioso libro que usted me obsequió también está allí y creo que nunca me separaré de él. Es una fácil invitación a invocar a la dama cuyo traje parece haber sido hecho con el sol, la concha nácar y las mariposas de México.

Le he solicitado que rezara por mí, yo mismo comulgué en su honor y el de los suyos. Tanta bondad en su rostro tan joven no pudo ocultar la expresión de una mujer, de una madre, de una hija, de una hermana que ha llorado mucho y también ha retenido su llanto. Es posible que dentro de esa amplia familia que es la suya, tan sacudida por el mar y los virajes del alma, haya sido usted la escogida de Dios como la oveja más digna de ofrecer al cielo, en nombre de los demás, su inmolación. ¡De eso ya sabe usted algo!

De todos modos, es terrible compartir el corazón de los hijos. Una leona lo resentiría. Pero, ¡ay de mí!, hay más gacelas que leonas de su especie. Con todo y su dulzura, su sensibilidad, usted es una leona.

Si no lo ha hecho aún, apresúrese a visitar a Nuestra Señora de las Victorias y allí, dentro de esa multitud de gente buena y de pecadores, de mujeres de mundo y de raterillos de Montmartre, entréguese por entero a Dios. Impregne su corazón de ese aire purificador y encienda dos cirios que lloren lágrimas de fuego por usted y por mí.

Su humilde amigo,
Francis Jammes

Mi gran amiga era Carmen Corcuera. Una vez a la semana iba yo a la Villa Olga pero una tarde le pedí que no me invitara porque quería yo ver en el Cinema Moderno *Los misterios de Nueva York* con Pearl White.

Carmen me preguntó qué me gustaría de regalo el día de mi primera comunión. Le dije que no quería nada de cosas piadosas: ni rosario, ni misal, ni crucifijo, ni ánfora de agua bendita. Deseaba un papalote. Me dio uno soberbio, tricolor, que destacó enorme entre todos mis regalos. Hice mi primera comunión a los once años, el 19 de junio de 1919, en la iglesia de Saint Charles en Biarritz. Allí mismo me habían preparado y tuve que memorizar el catecismo. Supe que a los condenados a muerte los llamaban por su apellido y me impresionó que el sacerdote me llamara:

—*Amor*, Paulette.

Aquel mismo cura le gritó a un alumno de nombre Bidart: *Imbécile de Bidet*. Mamá se lo contó al párroco de Saint Charles, a quien no pareció hacerle gracia. Debió llamarle la atención a su vicario, porque nunca volvimos a reír en el catecismo.

Recuerdo mi primera comunión como uno de los días más bellos de mi vida. Fui escogida para leer el *Acta de Consagración a la Santísima Virgen*, la cual me conmovió muchísimo. El fervor me embargaba. El libro de cuero rojo y filo de oro de los Evangelios que te regalé, Elena, me lo obsequió

Granny. Es el mismo que me hizo descubrir la palabra de Dios durante los insomnios del año 1951.

Granny era pequeñita como tú, y se vestía de gris perla casi siempre. Recuerdo que ya adolescente, la acompañé a Vionnet y cuando entró al salón todos volvieron la cabeza para verla. Hacía un nudo con el largo collar de perlas que rodeaba su cuello. También usaba un monóculo montado en carey. Tenía aspecto de reina. Por culpa de la Revolución Mexicana vendió durante la guerra su villa Haitsura, en Anglet. Lloró mucho después de firmar la escritura de compraventa y regresó a buscar a los compradores de nombre Aramayo pidiéndoles que anularan el contrato. Pena inútil. No aceptaron.

También nosotras amábamos esa villa vasca situada sobre una colina con una vista preciosa. Nos encantaba deslizarnos sobre cartones en sus pendientes cubiertas de resbalosas agujas de pino.

Paco, su hijo, le prestó su casa, Fal, que él llamó así por su admiración por Parsifal. Era un templo griego, blanco y frío, de altísimas columnas flanqueadas de puertas. Entrábamos a un gigantesco vestíbulo de mármol en el que en cada extremo había un piano de cola negro. Granny era una buena pianista y pidió dos pianos para tocar a cuatro manos, pero nunca escuché esas cuatro manos. Murió en esa casa que nunca amó. Su recámara, sin embargo, era preciosa: blanco y oro. Cuando cayó enferma, en 1932, Bichette fue sola a verla porque, encinta, te estaba yo esperando.

Podía imaginarla sola y perdida dentro de su inmensa cama. Su rostro enérgico coronado por su cabello blanco se perfilaba sobre las almohadas y en su ventana la silueta de la mimosa de ramas amarillas encendía la recámara con todo su sol.

Los míos

La guerra llegaba a su fin, el hotel frente a la pensión se llenó de soldados estadounidenses rosados y alegres. Cantaban y nos interpelaban para sacar de sus bolsillos dulces estriados de todos los colores, como serpentinas que ponían en nuestras manos. También me ofrecían chocolates rellenos de crema que sabían a pomada. De una ventana a la otra, Rica se dirigía a ellos en el lenguaje de los sordomudos. La veía yo con admiración, a pesar de su espalda deforme tenía éxito con los hombres. Montaba a horcajadas en la motocicleta de un joven muy guapo al que acinturaba, Georges Desbruyères, pero no se casó con él, sino con Lucio Suttor que parecía una garza con su mentón huidizo y su manzana de Adán protuberante. Cantaban a dúo y ella tocaba el piano. Me enseñó una canción:

No, no creo lo que Colas me dijo bajito, bajito.

aquí la voz subía y volvía a bajar:

No, no creo que el amor pueda tener taaaaaaaaaantos...
atractivooooooooooooos

La perdimos de vista durante un largo tiempo porque se fue a vivir a Perú con Lucio, su marido. Volvimos a encontrarla cuando, ya viuda, regresó a París. Su rostro seguía liso, pero sus ojos se habían empequeñecido. Por eso nuestra sorpresa fue muy grande cuando apareció una noche en la puerta de mi recámara, el rostro inflamado y los ojos echando chispas. Venía de una cena en casa de Georges Desbruyères. Sin aliento, casi a punto del desmayo, me dijo: "En el momento que yo salía, Georges ofreció traerme pero su mujer se interpuso:

"—Voy con ustedes para que Georges no regrese solo.

"Esperé este momento durante toda mi vida; tenía yo tantas cosas qué decirle. ¡La hubiera yo matado!"

¿Cómo alentar a una señora de setenta y dos años? Me divirtió su pasión pero también la admiré por ella. Había venido a Francia para quedarse seis meses y no regresó jamás a Perú. Se instaló en un hotel de la avenida Victor Hugo, no muy lejos de donde vivía Desbruyères que la invitaba a cenar de vez en cuando, siempre con su mujer. Nunca pudo hablar a solas con él. Fue lo mejor que pudo pasarle a Rica porque una reacción descortés de Desbruyères habría apagado para siempre la llama que la mantenía en vida.

La Revolución Mexicana se apaciguó y nos fuimos a Nueva York, a bordo del "Champlain", en noviembre de 1919. Nos acompañaba Jeanne Pacôme, ama de llaves e institutriz. De ese crucero sólo guardo dos recuerdos: el primero, muy desagradable, de la cabina en la que permanecí tirada a causa del mareo y las tempestades; el segundo, las naranjas que me daban y cuyo sabor, desde entonces, me parece acre. Nunca he tolerado su acidez, salvo una vez en Yucatán, cuando una india me ofreció, al borde de la carretera, una naranja partida y salada absolutamente deliciosa.

La llegada a Nueva York fue una compensación al mal momento. A través de la bruma de la madrugada contemplamos una ciudad que volvió realidad mis cuentos de hadas. Carmen y Nacho Amor habían venido a buscarnos y desde el muelle nos hacían señas con la mano. Nos llevaron al Hotel Sevilla, en el que vivían.

Visto desde abajo, Nueva York me pareció, a pesar de su materialismo, de una gran belleza. Las puntas de los edificios rasgaban el movimiento de las nubes. También los americanos me impresionaron por su hermosura. En el Rockefeller Center, cien *rockettes* levantaban la pierna al unísono impulsadas por un botón; todas las luces del árbol de Navidad del Madison Square se encendían al mismo tiempo sobre los patinadores en la enceguecedora blancura del hielo.

Para nuestro asombro, Lydia y yo no comprendimos jamás el inglés de los americanos. Eso no nos impidió ordenar en el restaurante una comida pantagruélica cuya cuenta no fue del gusto de mamá. Muy bella, con su cofia de viuda y su gran escote, mamá llamaba la atención de todos. Ella y Bichette dormían en una recámara, Lydia y yo en otra. Un día, Lydia se puso a cepillarme el cabello con energía a pesar de mi renuencia. Como insistía, mis aullidos fueron en aumento y el personal del piso acudió en mi auxilio, pero al día siguiente, al caminar las dos por la Quinta Avenida, me detuve frente al aparador de una tienda de juguetes y quedé pasmada ante un bebé rubio que yacía dentro de una canasta blanca llena de ropa bordada con primor. Para mí, que jamás había amado a las muñecas, fue un flechazo. Como no fui una niña consentida, cuando vi el canasto sobre la cama de mamá y pude, extasiada, tomar al bebé en brazos, supe instantáneamente que le debía a Lydia ese regalo inesperado.

En México, Pipo, el hermano de mamá y Mic, su mujer, nos recibieron en una gran casa alquilada en la calle de Havre. Al lado, en una casa idéntica a la nuestra, vivían mis amigos Corcuera, de Biarritz. Estaba yo tan contenta de volver a verlos que decidimos tirar la puerta entre las dos azoteas. Los golpes que dimos con todo lo que teníamos a mano inquietaron a las criadas que atendían a las visitas. De todos modos ya nos habíamos percatado de lo difícil de nuestra empresa porque detrás de la puerta había un muro. ¿Cómo derribarlo?

Ya limpios y bien peinados, nos resignamos a bajar a saludar a las numerosas visitas. En esa época, eran muchas las visitas porque la vida era muy barata y las sirvientas sabían preparar el té, la naranjada, los pasteles, cualquier cosa que sirviéramos. Las sirvientas eran viejas indias que nos llamaban, tanto a mamá como a nosotras: "Niña" y nos trataban con afecto. Tenían sus opiniones muy personales y cuando Venustiano Carranza desfiló por el Paseo de la Reforma, declararon que no entendían que alguien quisiera ser presidente de la República, puesto que a todos los mataban.

No puedo olvidar la primera Navidad en casa del tío Emmanuel Amor y la tía Carito y las posadas en las que seguíamos en procesión a San José y a la Virgen cargados por dos personas sobre una tablita. Con velas en la mano, pedíamos posada tras la puerta mientras que otro grupo dentro de la casa nos la negaba. Por fin, después de mucho rogar cantando, hacíamos una entrada triunfal en la sala donde se erguía el árbol de Navidad; el Padre Noël salía de su escondite para repartirnos los regalos. Para mi sorpresa, Carito, me susurró al oído:

—Es papá.

El tío Emmanuel me hacía pensar en Abraham por sus patillas y su barba blanca. Se la vívia sentado en su oficina, un *plaid* escocés sobre sus rodillas. Intentaba desesperadamente recuperar su hacienda de San Gabriel tomada por los zapatistas y por la que sólo había recibido bonos de papel. A pesar de sus dificultades pecuniarias, tía Carito nos invitaba con frecuencia. Era excelente cocinera, me gustaban sus pasteles de chocolate, su sonrisa y su hermoso rostro. Tenía un extraordinario sentido del humor que heredaron sus hijas. También amaba yo su casa de Abraham González número 66, porque era grande con sus dos patios y sus corredores protegidos por balcones en los que podíamos correr y jugar a nuestro antojo.

De la calle de Havre fuimos a vivir a la de Capuchinas, en una casa también grande con un patio a cielo abierto. Vivíamos en el primer piso rodeadas de balcones. Esta casa pertenecía a Beatriz Yturbe, quien se la prestó a mamá. Ahora, en su lugar, se levanta el Puerto de Liverpool en la calle de Venustiano Carranza, esquina con 20 de noviembre. Subía yo a la azotea para ver el Zócalo. Es así como pude seguir la ascensión por los muros de Catedral del "Hombre mosca". El Zócalo pululaba de gente. La plaza solía estar cubierta de grandes coronas mortuorias por las que la gente pagaba cinco pesos. La cercaban tranvías amarillos en los que Lydia y yo nos subíamos en la mañana para ir a nuestro convento.

Me admitieron en cuarto año de primaria, creo, en el convento de Saint Joseph que dirigían religiosas francesas. Quedé sentada en las últimas bancas. Sor Madeleine me pidió que hiciera una división. Como mi saber no iba más allá de las sumas, las restas y las multiplicaciones, me dirigí consternada a mi compañera de la derecha para pedirle ayuda. La religiosa se dio cuenta de que hablábamos y la regañó. Más muerta que viva, me puse de pie y le expliqué a la hermana que era yo quien le había preguntado cómo se hacía una división. Sor Madeleine me miró fijamente sin decir palabra. Al cabo de un mes, era yo cuarta sobre cuarenta y cuatro alumnas y me habían pasado a las bancas del frente. Mi francés me ayudaba y en los años que siguieron siempre estuve entre las cuatro primeras. Mis materias preferidas eran historia y literatura. Me encantaba jugar y me regañaban cuando subía a los techos para recuperar la pelota. Amaba a mis compañeras, a las monjas y era una niña feliz.

Mamá se presentó una tarde para meterme de interna. Asombrada y prudente, la madre superiora le respondió que no tenía cupo. A la mañana siguiente, todas me rodearon para saber lo qué había provocado su cólera. Bajé la nariz, sintiéndome incapaz de responderles.

Bichette, que en esa época tenía el diablo en el cuerpo, había inventado un juego que consistía en hacernos preguntas.

—¿Quién es la persona más bella?

—¿La más amable?

—¿La más inteligente?

Respondíamos según nuestro gusto. Cuando nos hizo la pregunta:

—¿Quién es el mayor imbécil de la tierra?

Cogí la pelota al vuelo y respondí con voz muy fuerte:

—Es Archie.

Mamá aventó su servilleta sobre la mesa, se levantó y salió. Consternadas la vimos partir con su sombrero puesto después de decirnos que iba a meterme de interna. Con la intransigencia de los niños de esa edad, yo no quería a Archie, su enamorado y devoto caballero que al día siguiente me puso una cara sombría. Su amor por mamá duró hasta su muerte, en esta misma recámara en la que ahora te escribo, Elena, el 2 de noviembre de 1950, cuando tú estabas en Eden Hall.

Siete años antes, en 1943, se casó con mamá en la calle de Berlín y ambos vinieron a vivir a la casa de La Morena. Archie, de 64 años, manifestó su felicidad con brincos de júbilo. En parte fui yo la responsable de su matrimonio al decirle a mamá que Archie estaba cansado, había envejecido y que no era justo hacerlo esperar tanto tiempo. Arthur de Lima era teósofo, creía en la reencarnación y a ti te tocó heredar los libros de la señora Elena Blavatsky. Su teosofía irritaba a mamá. Le decía:

—Archie, ¿cómo es posible que mis hijos, concebidos en mis entrañas, puedan ser también concebidos en las de otra mujer?

Y abrazaba su vientre con sus dos manos.

Para las vacaciones, Pipo y Mic nos invitaron a La Llave. Teníamos que levantarnos a las cinco de la mañana para estar en la estación de Balbuena a las siete. El viaje en tren era largo y fascinante porque nos gustaba mirar el paisaje ya fuera desde el pullman o en la plataforma del cabús, desde dónde se veían los rieles huir bajo nuestros pies. A las cinco de la tarde, el tren se detenía, exclusivamente por nosotros, en pleno campo. Allí aguardaban calesa, *break* e indios con sombreros puntiagudos; un espectáculo impresionante, sobre todo para las jóvenes francesas que éramos.

La llegada a la hacienda de piedra rosa cubierta de buganvillias, de rejas majestuosas, elevaba al máximo nuestra alegría, que no cesaba a medida que descubríamos el paisaje del Bajío. Pipo amaba a los niños y bromeaba con nosotras. "Eres mi paje, Paulette", me decía, y me mandó hacer en San Juan del Río un traje de charro de cuero y hasta me regaló una pequeña pistola de empuñadura de concha nácar con la que me enseñó a disparar contra una de las grandes puertas de madera en la entrada de la administración. Yo lo seguía a caballo y galopaba junto a él. Así aprendí a conocer los campos de maíz, de trigo, de jitomate, de frijoles, de fresas y de alfalfa. Fuera de la temporada de lluvias, el agua escaseaba. Pipo concibió un proyecto de canales de irrigación que no se llevó a cabo debido a sus numerosos viajes a Europa y al dinero que Mic, su esposa, le hacía gastar allá.

El sistema de riego del Bajío, zona conocida como "El granero de México", fue creado desde la Colonia. Para la hacienda de La Llave se aprovecharon el río San Juan y el río La Culebra. Se construyeron varias presas: El divino redentor, San Felipe, Carretillas y desde principios de siglo las tierras de La Llave fueron fértiles gracias a su riego. Ahora la presa de La Llave no es como antes, en época de secas no tiene una gota de agua y la gente siembra en el vaso de la presa.

La Llave fue para mí el descubrimiento del paraíso. Del campo sólo conocía yo las vallas de moras y los setos de garbanzas del lado de Anglet y los campos alrededor de la casa de Urrugne en el momento de la muerte de papá. Bobby y Philippe me habían enseñado el júbilo que significa correr en las praderas, treparme a los árboles y robar su fruta para después saltar los muros, el corazón en la garganta, escapando de los gritos de los propietarios. En La Llave las cabalgatas por caminos que iban de una hacienda a otra, bordeados de ahuehuetes inmensos, la presa de aguas tranquilas, las montañas y ese cielo que no terminaba nunca, los indios que llegaban bajo nuestras ventanas vestidos de satines incrustados de espejos, con plumas en la cabeza, y bailaban y cantaban con una voz monótona durante horas sin cansarse, en todas esas impresiones que se me grabaron para siempre está el origen de mi amor por México.

Después de las cabalgatas llegábamos cubiertos de sudor y de polvo a la piscina de Regina. ¡Qué delicia quitarse las botas, la ropa y entrar en esa agua cristalina que le producía a uno un extraordinario bienestar! Allí aprendí a nadar. Los mayores venían en calesa o en un *break* enganchado por cinco mulas y seis caballos árabes que Bichette aprendió a manejar. Lydia y yo volcamos una calesita que no nos causó más daño que una carcajada. El *break* era más peligroso. Una tarde, al pasar sobre un puente de piedra, el cochero dio una vuelta demasiado cerrada y desde mi sitio de siempre, arriba y atrás, vi la gran rueda voltearse y caer en la zanja. Con muchas precauciones pudimos salir de ese mal paso en medio de los gritos de Pipo, quien, muy enojado, castigó después al cochero echándolo al calabozo de la torre. Creo que allí permaneció dos días. Preocupada por él, fui a llevarle unos dulces.

Pipo tenía buen corazón pero era muy impulsivo. ¿No fue a pegarle un tiro a un perro que amenazaba a Bichette? Cierto, era un régimen feudal y cuando vino la revolución los indios se hicieron ilusiones creyendo que su porvenir sería mejor. Si se desilusionaron fue, sin duda, como te dijo alguna vez el general Lázaro Cárdenas, porque no hubo continuidad en el programa revolucionario. Hace poco hablé con un indio de aquellos tiempos en La Llave. A mi pregunta acerca de su bienestar me respondió: "El señor Yturbe estaba siempre por las Europas... Recuerdo al señor Suttor. Ahora ¿quién verá por nosotros? ¿Quién nos dará nuestros dulces?"

El encanto de La Llave no estaba en su estructura de gusto porfiriano, flanqueada por cuatro torres almenadas en cada esquina, sino en el techo que las unía entre sí y por el que paseábamos por la noche para contemplar el cielo estrellado y transparente desde dónde oíamos aullar a los coyotes.

De regreso en México retomé mis estudios con éxito porque me hicieron saltar del cuarto al sexto año. No me dio tristeza dejar a sor Magdalena, gruesa campesina que alguna vez nos declaró que llevar una flor en el corpiño era una provocación, lo cual me asombró a mis doce años de edad. Me tocó sor Marie Xavier, armoniosa y dulce que me conquistó a tal grado que nos escribimos hasta poco tiempo antes de su muerte.

Bichette tomaba dibujo y pintura en la Academia de San Carlos y hacía broma tras broma. Una vez se le ocurrió llevarse la gran jeringa que servía para regar las macetas del corredor y del patio y rociar a los estudiantes y también a los profesores y luego correr a esconderse detrás de las estatuas de yeso de San Carlos. Uno de los maestros, Mochicho, notable por su lealtad, nos dio la sorpresa de seguirla hasta Europa y presentarse en Lausana, en el comedor del Hotel Montana a la hora de la comida. Pobre, venía por Bichette.

En Capuchinas, Bichette dio una fiesta memorable por la batalla campal que organizó con chocolates de Lady Baltimore que dejaron, para el espanto de mamá, huellas sobre el techo y los muros del comedor y de la sala. El colmo fue cuando los Pliego la invitaron a comer y le recomendaron: "Ponte muy guapa. Vienen unos españoles". Le pidió prestados su falda, delantal, blusa y rebozo a la muchacha, se restiró los cabellos, pintó sus dientes de negro, su rostro de blanco y su nariz de colorado. Aún recuerdo a mamá furiosa gritarle desde lo alto del balcón:

—Llévate al menos tu pasaporte.

Con mucha razón, Antonio Álvarez Rule le dijo:

—Bichette, eres barbaroff por lo Idaroff.

Nuestra estancia en México llegaba a su fin. Mamá había decidido regresar a Europa. Poco le importaba que Lydia no recibiera la banda azul ni el diploma que debía entregarle el convento de Saint Joseph por ser buena alumna. A mamá no le interesaba para nada que nuestras boleta de calificaciones sabatinas fueran doradas, blancas o rosas (verdes jamás, porque cinco verdes significaban expulsión automática). Las nuestras casi siempre eran doradas. El oro correspondía a la misa del domingo a la que Lydia me jalaba concienzudamente. Esa boleta llevaba la mención: "Perfecto". La que no asistía a misa recibía una boleta blanco mate con la inscripción: "Muy bien".

Mamá encontraba que yo persistía en mi color verde y lo atribuía a la alimentación del convento que era muy mala, por no decir infecta. El menú se componía, invariablemente, de carne dura hervida, arroz pastoso y plátanos. Sólo comíamos allí a medio día y en el refectorio nuestro espíritu rebelde se traducía en patadas a la mesa y bolitas de pan enviadas en todos los sentidos. ¡Cuántas veces terminé de pie, castigada, la nariz contra el muro, porque ése era nuestro castigo! Sin duda mi hermana Lydia dejó el convento con tristeza pero no recuerdo haber sentido nada, tenía trece años y a esa edad la vida es bella.

En París, vivíamos en el Hôtel d'Iena, una gran construcción en la esquina de la Place d'Iena con la avenida Presidente Wilson. Ese hotel fue nuestro faro durante muchísimos años. No teníamos casa, no poseíamos muebles, cuadros ni objetos. Sólo me acompañaba a todas partes la virgencita de marfil regalo de Marie-Thérèse Yturbe para mi primera comunión.

Mamá tenía una bolsa de viaje en cuero de Rusia con guarnición de carey llena de cepillos, polveras, espejos, cajas de *vermeil* que extendía sobre el tocador de su habitación de hotel. Debido a sus numerosos viajes, la habíamos apodado "la Madonna de los *sleepings*". En el tren que nos llevaba a Alemania admiraba yo las sábanas azules de crepé de China, con las iniciales en azul más oscuro con las cuales, Rose, la recamarera de Granny, volvió a hacerle su cama. Juntas llenaban baúles inmensos con vestidos separados por grandes hojas de papel de china.

De este primer viaje no recuerdo un solo paisaje, únicamente, y de una manera muy vaga, la Pinacoteca de Munich. Por el contrario, algunos detalles se han anclado en mi memoria. La sala del hotel en el que Granny hacía sus juegos de barajas, sus solitarios, y la mirada que me lanzó al advertirme:

—Si sales con esa gorra roja van a tomarte por un bolchevique.

Debíamos llevar muchos billetes de mil marcos para pagar una caja de cerillos. Era la preguerra y la inflación.

De otro viaje a Italia con mamá, Bichette y Lydia, guardo la imagen del barco sobre el lago de Stresa, las prodigiosas flores que lo rodeaban, sobre todo una "sensitiva" que se cerraba al tocarla. En el Hotel Lido las señoras levantaron sus vestidos de noche enseñando las piernas para taparse la cabeza porque empezaron a volar los murciélagos. Es mi único recuerdo. Por eso considero que no vale la pena llevar de viaje a niños de corta edad porque nada se les graba.

El libro de Marie Baskirtcheff me hizo comprender el lado eslavo de mi genealogía al ver que ambas familias vivían existencias ociosas en villas alquiladas, acudían a las estaciones termales de Europa, hacían gala de nuestro mismo espíritu de independencia y originalidad. Eran infinitas sus semejanzas con nuestra forma de ser. Granny era un personaje. Nos inspiraba un poco de miedo. Un día en el Hôtel d'Iena, debió emplear una de sus frases tajantes porque después de escucharla le grité:

—Pequeño tártaro.

Fulminándome con sus ojos verde-amarillos que me ponían a temblar me respondió:

—Pequeño azteca.

De ella heredaste el acento cuando dices de alguien: "¡Es un idiota!"

Una vez le pedí que me dijera algo en su lengua y con los ojos como tizones me espetó: "Vete al diablo". Mucho más tarde me contó su vida, que se me quedó grabada como una película. Primero, en San Petersburgo, la imagen de sus hermanos regresando de cacería y aventándose con todo y botas en la tina que ella ocupaba. Estas actitudes salvajes le eran ajenas; ella era una joven bien educada en un internado para la pequeña nobleza, donde adquirió una letra preciosa y se volvió una excelente pianista. Manejaba a la perfección el francés y el alemán; no sólo los hablaba, conocía a fondo su literatura. Supongo que debió estudiar en Alemania porque era un país al que se sentía profundamente ligada. En Biarritz la llamaban: "La alemana", por sus veraneos anuales en Weisbaden.

Cuando cumplió quince años, Lydia, su madre que era viuda, casó de nuevo con el embajador de España en San Petersburgo: Muriaga. Nombrado embajador de España en México, vino con su mujer y su hijastra, tu bisabuela. En el barco, ésta conoció a un sacerdote católico que la convirtió. Ella era ortodoxa rusa. Me contó que empezó a llevar un silicio y a flagelarse. En México, durante una ceremonia en La Profesa en honor del nuevo embajador de España, Granny y su madre se encontraban en el coro. Felipe Yturbe, mi abuelo, a quien llamaban "Felipe el hermoso", estaba entre los asistentes y se divirtió muchísimo gracias a una jovencita pelirroja que imitaba al sacerdote e inclinaba a cada instante su cabeza de modo que sus cabellos largos caían al suelo en masa. Como quería meterse de monja me contó que todas las noches rezaba hincada:

—Dios mío, haz que no me enamoré de Felipe Yturbe.

A los dieciséis años se casó con él. Según ella, espantada por la noche de bodas, se trepó encima del ropero. Debe ser una exageración, lo cual no impidió que cuando Bichette le anunció su matrimonio con Cesarino le dijera:

—¿Vas a hacer esa cochinada?

A mí me escribió en una carta: "Dime que amas al príncipe Poniatowski porque si no te diré que los polacos y los rusos no se quieren".

Jamás regresó a México. Su hermosa casa de Los Azulejos fue alquilada al Jockey Club. Mandó pintar en cada esquina de su recámara, a la altura del techo, las cabezas de sus dos hijos: Paco y Pipo con alas de ángel. Los últimos arrendatarios, los hermanos Sanborn's los borraron, pero, por su parte, Paco Yturbe mandó pintar en la escalera hacia el segundo piso un fresco de José Clemente Orozco y otro de Manuel Rodríguez Lozano.

Su preferencia por Paco era notoria. La mostraba tanto que hizo sufrir a sus demás hijos. A Paco lo llamaba su "Niño Dios".

Mi abuelo, cuyo retrato se encuentra en la biblioteca de Los Nogales, murió en Niza cuando mamá tenía siete años. Doce años más tarde, Hélène Idaroff de Yturbe volvió a casarse con el barón Frédéric Arthur de Chasseriau, protestante, escritor, amigo de Francis Jammes y Pierre Loti, un intelectual. Formaban una pareja chistosa porque Chasseriau era tan alto como ella pequeña, lo único que tenían en común es que ambos usaban monóculo.

"Le aconsejo ser menos rusa y más mexicana" le escribió el padre Gagarin a tu bisabuela Hélène Idaroff. Debió ser muy inteligente porque antes le había aconsejado no entrar al convento de las Carmelitas porque consideró que no tenía vocación religiosa.

Ese segundo matrimonio resultó una maraña de dificultades y mi abuela rusa recurrió al abate Mugnier de la parroquia de Sainte Clotilde quien le escribió que su situación no sólo era compleja, sino que las lianas se enredaban de tal forma que la habían atrapado en pleno bosque.

Ese bosque debe haber sido la razón por la que Miguel Yturbe tomó su papel de jefe de familia demasiado en serio y como ese matrimonio no le parecía decente, arregló, no sé cómo, que mamá y su hermana Thérèse vivieran primero en la Place des États Unis y de allí, acompañada por su chaperona, miss Stevens, salieran a México a alcanzar a sus hermanos Paco y Pipo.

A causa de su severa vigilancia, mamá y auntie Geis no se divertían nada. Por eso fue que de muy buena gana, mamá aceptó el partido que le ofrecían sus dos hermanos: Pablo Amor quien también venía de Europa.

Jugadores de polo, *amateurs* de caballos, Pipo y Paco apreciaban a tu abuelo, Pablo Amor, porque hacía lo mismo que ellos. Mamá lo veía poco en la sociedad mexicana, la cual tomó el partido de los Escandón en el famoso proceso Amor *vs.* Escandón. Sin embargo, le escribió a su madre en Francia que Pablo Amor tenía todo del gentilhombre inglés y que le gustaba.

Papá nació en Varengeville, Normandía, y fue enterrado en un maravilloso cementerio sobre un acantilado. Siempre he querido volver a ese cementerio. Si no fuera por Jan y por Johnny, me gustaría que me enterraran con mi papá.

El campo de narcisos

ablo Amor tenía diez años más que mamá. Se casaron en El Sagrario y el primer regalo que recibieron fue el del príncipe Carlo Poniatowski y Maud su mujer estadounidense, a la sazón en México.

Nuestro viaje de México a Europa, en 1923, terminó en Lausana, en una clínica donde a Bichette le arreglaron la nariz, pues se había golpeado en un camión de La Llave. Lydia debía someterse a un tratamiento para alargar su columna vertebral y su pierna, y sufrió mucho porque la suspendían del techo por medio de unas argollas. Después, Lydia entró, como yo, al internado Florissant, en Chamblandes. Como la directora se dio cuenta que Lydia sabía mucho más que las demás, la hizo tomar cursos de arte y de literatura en la Universidad de Lausana. Ni a ella ni a mí nos enseñaron nada en ese internado en el que sólo había extranjeras que venían a aprender francés. La comida era excelente y con la ayuda del deporte me hice rápidamente de una muy buena salud. En el verano jugábamos al tenis, nadábamos y remábamos sobre el lago Leman. En invierno patinaba yo sobre el hielo, bajaba en trineo las cuestas, pero no esquiaba porque le daba miedo a mamá.

Lydia me dejó antes de que terminara el año. La reemplazó Ingeborg Schurtz, que compartía mi modo de vida y era de mi edad. Hasta entonces Lydia mantenía nuestra habitación en perfecto orden, así como nuestros vestidos, cuyos botones cosía. Después de su partida, caímos en el desorden. En la mañana, no hacía yo la cama, simplemente la cubría con la colcha para poder escaparme de los chirridos del violín de Ingeborg, a pesar de que me sentía orgullosa de su talento: obtuvo más tarde el primer premio del Conservatorio de Lausana. Alta, muy rubia, la dulzura de sus ojos azules contrastaba con la energía de su carácter y el desprecio que manifestaba por las demás. Ella me quería y yo a ella. Un día me dijo que las demás afirmaban que yo era bonita, pero que me lo creía demasiado. Sólo retuve que habían dicho que yo era ¡bonita! Me paré de un brinco frente al espejo: ¡yo era bonita! Me invadió una gran alegría, un nuevo mundo se abría ante mí, el de los privilegiados que había admirado en la calle sin pensar que algún día sería una de ellos; un mundo aparte que, a mi modo de ver, tenía una aureola: la de la belleza, no la de la santidad. Mis compañeras nunca imaginaron el placer que me causaron.

Mamá vino a verme. La recibí en la estación con un enorme ramo de narcisos recogidos la víspera en un campo en las afueras de Montreux. Ese campo de narcisos sigue siendo para mí el símbolo de la infancia feliz. Sólo una vez, en sueños, regresé a ese campo de blancura perfumada en el que la luz era la de la felicidad. Desde entonces he pedido muchas veces a Dios que me vuelva a dar ese sueño, pero me ha sido negado volver al paraíso perdido de la inocencia.

Hace un tiempo encontré una carta de Auntie Geis en la que me hablaba de su deseo de ir a Suiza antes de morir, a ver de nuevo esos campos de narcisos. En Les Bories, en 1941, una noche, te buscaba, Elena, tras la granja de los La Cavallerie. Te encontré al final de un campo arrodillada ante la barrera que dominaba el valle. Hacías tu oración al sol poniente. Solo veía tus largos cabellos, aureola de luz. Muy conmovida, no me atreví a acercarme.

En el Hôtel Beau Rivâge, en el que mamá se alojaba, me metía a su cama y le decía:
—Te adoro, casi.

Ese "casi" la hacía reír. Debía yo tener una predilección por la palabra justa, exacta, porque en mi espíritu sólo podía adorarse a Dios. Recuerdo cómo me escandalizó que Pipo dijera la palabra "mierda" en una tienda de Lausana cuando dejó caer sus lentes.

Él y Mic vinieron también a verme en su enorme Renault beige acompañados por Helen Wardman y por Lydia. A estas últimas les dio mucha alegría zambullirme en la tina del hotel y desenmugrarme, porque llegaba yo de la montaña. Había escalado y dormido en la paja. Aún escucho las carcajadas de Hélène y sus exclamaciones:
—¡Pero qué cochina!

No tenía yo sus cien vestidos de niña rica, conservaba aún en los músculos y en los ojos los treinta kilómetros de montaña que me habían hecho llegar a la nieve en julio.

Al cabo de un año mamá decidió regresar a México. Antes de abandonar el internado, le dejé a mademoiselle Ross, la directora, y a madame Laurent, la profesora de francés, mi fotografía dedicada: *La pequeña princesa.* No sé por qué me habían dado ese apodo. ¿Sería por mi distracción que me mantenía alejada de las intrigas y de los chismes? Mi distracción era proverbial. Un día —para gran alegría de toda la mesa—, llené mi plato con cáscaras de papa en vez de ponerlas en el platón. La Navidad siguiente recibí de mis compañeras una soberbia caja de chocolates que me sorprendió agradablemente, pero al abrirla me sentí muy decepcionada: sólo contenía cáscaras de papa.

Mi segunda estancia en México, en 1923, fue marcada por dos acontecimientos mayores. La muerte de Jeanne Pacôme, el ama de llaves que todo sabía hacerlo y comprenderlo con sus inteligentes ojos azules, y la boda de Lydia. A Jeanne se le tuvo que transportar de urgencia a la clínica de las Dames de France. Una peritonitis se la llevó el 19 de marzo de 1924. Su tez de cera y sus ojos azules que no parecían ver nada me impresionaron, y su muerte me entristeció porque la quería. Sin embargo, a los quince años la muerte no resulta una amputación y la vida vuelve a tomar su ritmo habitual.

Mamá había alquilado una casita amueblada en la calle de Dinamarca. En ese tiempo el clima era magnífico y durante el verano sólo llovía dos horas por la tarde y en el momento de la siesta. Después la tierra embalsamaba el aire. Era una delicia ese olor y otra, caminar por las calles de esa pequeña ciudad desde donde se veían las montañas.

Un mediodía, llegó a esa casa a comer Archie, recién

llegado de Lima, con Schatz, un perro *dackle* negro con el hocico amarillo. Era mi regalo. Como se hacía pipí en la sala y en el comedor, mamá, enojada, dijo que iba a regalarlo. A la salchicha negra de Schatz no le hacía yo mucho caso, porque me atraían más las actividades fuera de la casa.

Bichette y yo montábamos frecuentemente a caballo con un grupo compuesto por Mario y Horacio Casasús, la mujer de éste, Madeleine Tellier, Mercedes Martínez del Campo, la mamá de Mercedes Bernal y Elsie Fernández Castelló. A esta última la quería yo mucho porque siempre reía con sus ojos grises subrayados por trazos negros. También acudían Beatriz Yturbe y Vincent Caso Mier, que la pretendía, y Antonio Pliego, *flirt* de Bichette. En cuanto a mí, la benjamina, caí enamorada, sin saberlo, de Horacio Casasús, que era guapísimo; tenía unos dientes deslumbrantes y ojos muy negros. Él se ocupaba de mí y me enseñó a montar a caballo *sidesaddle*. Creo que era un medio de acercarse a Bichette, que más bien se burlaba de él ante mi indignación, porque para mí era perfecto.

Lydia circulaba en un medio distinto, el de los Suttor y la baronesa de Woelmont, embajadora de Bélgica, y otros personajes internacionales. En ese medio conoció a Jean-Yves de Guerriff de Launey, alto, rubio, que vestía bien, gerente de la Transatlantique Génerale, de buena familia bretona y de mejor situación. Rica animó a Lydia a casarse con él. La boda tuvo lugar en El Colegio de Niñas, también llamado Nuestra Señora de Lourdes, en agosto de 1924. Seis damitas de honor formaron el cortejo vestidas de blanco con holanes rematados con satín azul cielo y capelinas de paja también con listones azules. Sus nombres eran Mercedes y Elsie Martínez del Campo, Maggie y Pita Amor, Amparo Noriega y una niña Mansigny. Yo llevaba mi primer vestido de *jeune fille*, blanco, de falda plisada, con largos listones azul Nattier, de los que llaman *Suivez moi, jeune homme* (Sígame, pollo), que salían de mis hombros para formar un nudo en la espalda. También una gran capelina de paja adornada con un ramo de flores.

Lydia y Jean-Yves pasaron su luna de miel en La Llave, y poco tiempo después todos regresamos a Francia en el barco "Flandres". También viajaba la familia Quintanilla compuesta por la madre francesa, dos hijos y dos nietas. Eran simpáticos y alegres y muy pronto hicimos amistad. El "Flandres" hizo escala en La Habana y los dos muchachos Quintanilla tuvieron la mala idea de invitarnos a casa de la señora Abreu. Digo mala porque esta señora tenía pasión por los changos. Poseía un centenar de ellos repartidos entre su parque y su casa. No aprecié mucho el paseo entre las jaulas de los changos porque uno de ellos me jaló el vestido y me repegó a su jaula, y otro me quitó el sombrero de fieltro blanco; pero el colmo fue cuando la señora Abreu tuvo la idea de exhibir a sus chimpancés en bicicleta. Dos de sus mayordomos, en librea, los trajeron de la mano sobre el pasto del jardín en el que formamos un círculo. Uno de los mayordomos puso a uno de los chimpancés sobre la bicicleta y éste comenzó a girar. A cada vuelta el chango me miraba. De pronto, aventó su bicicleta, corrió hacia mí y me abrazó. Todos echaron a correr salvo yo, que veía petrificada la cabeza del chango entre mis pechos y sus ojos saltones mirarme con adoración. Por fin, pude gritar. El chango me soltó y el mayordomo se lo llevó. Después supimos que la señora Abreu llevaba a sus dos changos a Francia para que los atendiera un dentista parisino.

La ronda del amor

うvimos buen tiempo de regreso en el "Flandres",
durante la travesía hasta el Havre. Al atardecer, recostada en
una silla de lona en cubierta, veía la alta silueta de Antonio
Quintanilla destacarse contra el sol, cuando me dijo que me
amaba. Era la primera vez que un hombre me hablaba de
amor. Sentí una gran emoción anímica y también física: un
hormigueo en el sexo y, sin embargo, no estaba enamorada
de él. En la noche me fui a mi cabina a dormir sin inquietarme mayormente. Bendita inconsciencia de los adolescentes.

Antonio Quintanilla venía con frecuencia a vernos al departamento que Pipo le había prestado a mamá en París, en
el número 3 de la rue Alberic Magnard. Una vez se presentó
triunfante con un libro que halló en las librerías de viejo en
los *quais*: *Historia de las principales familias mexicanas*.
Aparecíamos mamá, papá, Bichette, Lydia y al final de la
página yo, en un párrafo que decía: "Existe un tercer vástago
cuyo sexo no nos ha sido dado a conocer...". Antonio reía

con su gran risa sonora: "Paulette, eres un vástago, un vástago..." y estallaba en carcajadas.

No permanecí mucho tiempo en París porque al despedirme del internado en Lausana les había prometido que regresaría. Mamá no quería que viajara sola y contrató a la mujer del *maître* del Hôtel d'Iena para acompañarme. En la frontera suiza, un inspector encontró muy de su gusto las formas redondas de mi chaperona, la hizo bajar del tren para darle una visa que le hacía falta. Los dos desaparecieron y el tren se puso en marcha. Sólo tuve tiempo de abrir la ventana y aventar su veliz al andén. La vi correr con los brazos en alto y no supe jamás en qué estado encontró su maleta. Sola en el compartimento, un joven estadounidense vino a sentarse frente a mí. Me habló en inglés y a una de sus preguntas le respondí que era casada.

—No lo creo.

—¿Por qué?

—Es usted demasiado alegre.

Después del gusto de volver a encontrar a Ingeborg, mademoiselle Ross y madame Laurent, me di cuenta de que la atmósfera del internado ya no era la misma por culpa de dos nuevas alumnas alemanas. Una de ellas, guapa y divorciada, iba a bailar todos los domingos al Hôtel Beau Rivâge. Ante nuestro estupor, mademoiselle Rose y madame Laurent permitieron que un hombre viniera a vivir al internado, el hermano de una de las inglesas: Muriel. El joven le hizo la corte a otra inglesa, Elsie, y cuando se fue para nuestro alivio, Elsie y Muriel se volvieron inseparables. Guardo en un album una fotografía que tomé para burlarme de ellas, tiernamente enlazadas en una *chaise-longue*.

Mamá vino a verme con mi perro Schatz. Lo cuidaba para mí. En el Hôtel Beau Rivâge, Schatz enfermó gravemente.

Mamá lo atendió tan bien que le salvó la vida. Estoy segura de que su amor por los perros data de esa época y fue por ese perro, al que ella ni quería, que se convirtió más tarde en la fundadora de la Sociedad Protectora de Animales, que no existía en México.

Ingeborg me invitó a pasar algunos días en casa de sus padres en Sauleure, Suiza alemana. El señor Schürch, propietario de una fábrica de tabaco, tenía una casa acogedora. En torno a una gran estufa de azulejos podía uno calentarse; la cena se componía de gruesas papas al horno que se comían con aceite de olivo y café con leche. Era una cena extraña, pero buena. Ingeborg y su hermano Bob me llevaron al picadero para montar a caballo sin silla. Me pareció muy duro y no insistí en ese deporte en el que ellos destacaban.

En el internado Florissant Ingeborg pasaba sus días en el Conservatorio y sólo la veía en la noche. Madame Laurent padecía frecuentes migrañas y me pedía que la reemplazara en la clase de francés. No tenía ya nada qué hacer en ese internado y para no ofender a mademoiselle Ross le conté que mamá quería que regresara a París a continuar a su lado mis estudios. Esta vez una linda miss inglesa me acompañó y no se sorprendió cuando mamá, al abrir la puerta del departamento, me preguntó de inmediato:

—¿Y cuándo regresas a tu escuela?

Apenada, le dije que nunca.

—¡Ah, muy bien!, respondió con una gran sonrisa.

Mademoiselle Rose y madame Laurent me escribieron ocho años más tarde para felicitarme por mi matrimonio con un príncipe. ¿No habían predicho que sería princesa?

Vería de nuevo a Ingeborg después de mi matrimonio. Johnny tenía una convención en Bàle; Ingeborg nos invitó a Sauleure y a petición mía tocó, después de la comida, un concierto de Beethoven. A Johnny le sorprendió que atacara ese largo y difícil concierto sin acompañamiento. Su perfil apoyado sobre el violín, quedó grabado en mi memoria y, conmovida, la admiré.

En París me inscribí en un curso de filosofía en el Instituto Católico y seguía otro en la rue de la Pompe. Tomaba notas con fervor. De ser menos esporádicos, sin duda, hubiera yo podido hacer buenos estudios.

Mamá tenía algunas amigas: madame d'Aramont, quien tenía dos hijas, Jacqueline y Paola, esta última bellísima. Ellas me invitaron a un té danzante. Allí fue donde Johnny me vio por primera vez. No lo recuerdo, pero él tiene muy presente mi vestido gris y mi sombrero que hacían juego.

En Francia la costumbre era que las jóvenes se presentaran en sociedad a los dieciocho años. Yo apenas tenía diecisiete cuando, acompañada por Bichette, fui a mi primer baile en casa de madame Levée que tenía dos hijas, Sybille y Mónica Avery. Apenas conservo la imagen de un hotel particular que daba sobre un jardín de gran elegancia.

Por el contrario, recuerdo muy bien un baile en casa de Robert de Rotschild al que llevé un vestido de lamé rosa y en el que tuve gran éxito y bailé hasta la madrugada.

Al día siguiente, en el clásico Paseo de las Acacias de los domingos después de misa, Panchito Yturbe nos dijo a mamá y a mí que ya sabía que las muchachas más bonitas del baile habían sido tres mexicanas: las otras dos eran Elena y Sofía Verea.

Terminada la temporada, mamá nos llevó a Bichette y a

mí a Karlsbad a la Pensión Victoria, la misma en la que desafié a Lydia al asomarme por la ventana:

—¿Ves esa montaña allá arriba, Lydia? vamos a subir a ella.

¡Y hacia allá fuimos, listas para varias horas de marcha! Pero como la carretera daba vueltas y no terminaba nunca, Lydia se sentó sobre la hierba y se rehusó a seguir adelante.

—Te aseguro, Lydia, que en la próxima curva estaremos en la montaña.

Y apareció un triste café; triste porque no llevábamos dinero para tomar nada.

Ese año y ya sin Lydia, la Pensión Victoria estaba llena de españoles venidos para la cura. Los Fernán Núñez, los Hoyos. Todo el mundo se reunía por la mañana en el manantial a beber agua caliente. De allí caminábamos durante media hora para llegar al Kaiser o al Posthoff a desayunar. Al final nos levantábamos uno tras otro y decíamos:

—Tengo que ir al teléfono.

Todos sabíamos lo que aquello significaba.

Los que permanecían en la mesa se pasaban, entre risas, tarjetas postales cómicas de gente sentada en el excusado. Mercedes Hoyos, la duquesa de Algeciras, tenía la misma edad que Bichette. Era encantadora como su madre y su hermana. Nos invitaron a Jerez, donde los Hoyos tenían una gran propiedad.

Fuera de las caminatas, los paseos en los bosques y los té-conciertos en los parques no había grandes distracciones en Karlsbad. Bichette nos abandonó para ir a Venecia. Alice Leone Moats, una estadounidense de México, la había invitado para la temporada de septiembre. Allí conoció a Cesarino Celani.

En la primavera del año siguiente hicimos el viaje a España. Mamá nos llevó a la feria de Sevilla y nos quedamos en un pequeño hotel de patio interior, balcones, rejas adornadas con geranios. En el hotel sólo nos veían a la hora de dormir y del desayuno porque la fiesta estaba en la calle: cabalgata de jóvenes de sombrero cordobés y muchachas en las ancas; por la noche bailaban y cantaban flamenco.

En los quioscos, mientras paladeábamos manzanilla, nos quedamos asombradas ante tanta elegancia, tanto garbo, tanta buena facha, tanta gallardía en el gesto. Al caminar sola por la calle, un joven me gritó: "¡Fea!". Otro improvisó una cuarteta cuando, al perder el equilibrio en la escalera, por poco y caigo en sus brazos. ¡Qué alegres, encantadores y hospitalarios eran los españoles!

En Jerez, en la casa de los Hoyos, la fiesta era continua. El padre parecía un hidalgo, calvo y bigotón, tenía la broma a flor de labios. La señora Hoyos, igualmente sonriente y guapa, mantenía la casa y la mesa abiertas. Éramos muchos, así que enrojecí cuando el *maître d'hôtel* vino a decirme que me llamaban por teléfono y tuve que levantarme en medio de chistes, risas y codazos.

Me jugaban bromas a propósito de Miguel Primo de Rivera, que me hacía la corte. Era muy guapo, alto, delgado, moreno y más tarde fue embajador de España en Inglaterra. Antes de la comida íbamos a las tascas a tomar una manzanilla o a probar los distintos jereces. Antes de acostarnos, Bichette y yo hacíamos comentarios que nos divertían aún más que los mismos acontecimientos.

En Madrid, tía Trini de Parsent nos invitó a una gran cena con el general Primo de Rivera. Le había pedido al rey Alfonso XIII que le diera el título de duquesa, a pesar de que ya tenía el de condesa de Parsent y ése era un título histórico. Su nombre de soltera era Schultz y en su primer matrimonio se había casado con Manuel de Yturbe, a quien llamaban "El hombre que ríe", por la mueca perpetua de su rostro.

Al mismo tiempo que nosotras, se hallaban en Madrid tía Carito y sus dos hijas mayores, Mimí y Carito, invitadas por su tía, la marquesa Julia Bermejillo. Juntas visitamos Toledo. Carito tuvo varias propuestas de matrimonio de grandes de España a quienes rechazó juzgando, con razón, que su porvenir estaba en México. También los Fernán Núñez dieron una gran comida en nuestro honor en su palacio, en la que para mi horror nos sirvieron calamares en su tinta. Jamás los había visto y no pude o no quise probarlos. Los españoles hablaban y reían muy fuerte y, en sus conversaciones, regresaban a cada instante las palabras "los reyes", a quienes veían ya sea en el golf, en el polo o en distintas recepciones. ¿Quién nos iba a decir que diez años más tarde esa España desenfadada, desaparecería en la Guerra Civil y que los dos Fernán Núñez más guapos, Manuel y Tristán, perderían en ella la vida?

De regreso a París, Bichette tuvo la visita de Drieu la Rochelle, a quien conoció gracias a sus amigos intelectuales, Alfonso Reyes, Marcelle Auclair, Ramón Fernández. Mamá y ella iban con frecuencia a la librería de Adrienne Monnier en la rue de l'Odéon. Drieu la Rochelle era un hombre guapo y enviaba flores a Bichette, la invitaba a cenar, al teatro y, por lo tanto, no estuvo nada contento cuando Bichette le presentó a Cesarino, recién llegado de Roma sólo para cortejarla.

Drieu la Rochelle preguntó:

—¿Por qué se casa ella con ese tipo?

Evidentemente Cesarino era un personaje especial, más indicado como amante que como marido. Su vida consistía en tocar piano y cantar con voz muy fuerte sus propias composiciones, bailar y entretener a todos con su vis cómica. Su inconsciencia era tan grande que no se arredraba ante nada y lo dejaba a uno estupefacto con sus puntadas y su atrevimiento.

Siempre he considerado un misterio el que mi hermana Bichette haya preferido a Cesarino entre todos sus pretendientes. Para la familia era un escándalo. Miguel de Yturbe y Charley Beistegui vinieron a verla con el fin de disuadirla, pero no lograron sino afianzar su decisión. Se sintió obligada a defender a Cesarino Celani, a quien todos criticaban. Muchos años más tarde, cuando le pregunté si no echaba de menos a Drieu la Rochelle, hizo una mueca muy seca:

—Hubiera sido la viuda de un suicida.

Pero como dices, Elena, ¿de qué sirve regresar al pasado? Como mis tíos Pipo y Mic iban a llegar a su departamento de la rue Alberic Magnard, mamá alquiló un hotel particular en la rue de la Beaume. Cesarino tenía muchísimos amigos italianos. Una ocasión en que nos invitaron a cenar, uno de ellos le pidió mi mano a mamá. Era pequeño, feo, simpático. Como nunca antes me habían hecho la corte, mamá, estupefacta ante el atrevimiento de los amigos de Cesarino, no sabía qué responder.

Bichette y Cesarino se casaron en la iglesia de Saint Philippe du Roule el 26 de febrero de 1927.

Mamá me llevó a conocer a Ana Rosa Guzmán Castilleja que tenía dos hijos, Felipe y Sylvia. En esa merienda, el grupo de amigos de Sylvia se hizo también mío. Ese grupo era también el de Johnny, sobre todo por Suzanne y su hermano Jean Conrad Hottinguer, amigo de la infancia de tu papá. Un día, en la Gare du Nord, donde fui a despedir a las Verea que regresaban a México, me fijé en un joven muy alto y muy bien vestido que subía al tren. Llevaba un sombrero de fieltro y un abrigo de piel de camello. Las Verea presumieron:

—Lo conocemos, es Jean Poniatowski.

Poco tiempo después fui yo quien tomé el tren para ir a Le Havre y embarcarme hacia México, y mis nuevos amigos fueron a despedirme a la estación.

En la calle de Tíber sólo había tres casas que pertenecían a la familia Braniff. La calle era casi puro campo y los perros paseaban libremente. Desde el balcón de la sala, mamá les daba de comer. Primero vino uno, luego dos, luego doce. Amelita Martínez del Río, amiga de Bichette, me comprometió a tomar clases con ella en el Museo de Arqueología de la calle de Moneda. Al principio no sentí ningún entusiasmo por el estudio de aquellas piedras extrañas y muertas, pero al conocerlas dentro de su marco, en Teotihuacán o en Tula, poco a poco vi renacer la vida, resurgir un pueblo cruel y creativo. Con un interés creciente, descubrí los monumentos y vi que en su historia estallaba la poesía como los magueyes se abren al sol. Al final del curso presenté mi tesis sobre las joyas de oro precortesianas, las dibujé una tras otra y obtuve en mi primer año de estudios una muy buena calificación.

Por las tardes salía mucho con Carito. Jugábamos tenis,

nadábamos en el Club Reforma, salíamos de excursión y así como con Ingeborg me acostumbré a ir a conciertos, inicié a Carito en la música. Nos acompañaban, entre otros, los hermanos Cortina: Joaquín y Antonio. Con ellos fuimos una vez hasta Cuernavaca. Como la persecución religiosa estaba en su apogeo, las amigas de mamá trataron de disuadirnos de que emprediéramos el camino diciéndonos que veríamos colgados de los árboles a muchos ahorcados. No vimos uno solo, pero en Cuernavaca encontramos a Nacho Amor y a su amigo Allen Winslow, encargado de negocios de la embajada de Estados Unidos, quienes nos contaron que los soldados les habían prohibido el paso de regreso a México. El gobierno había detenido al general Francisco Serrano, que festejaba su cumpleaños en compañía de sus amigos, acusándolo de complot. Cuando Nacho Amor y Allen Winslow pudieron reemprender el viaje a México, vieron en la carretera varios automóviles de los cuales salían piernas, brazos y pies: los cuerpos de Serrano y de sus compañeros fusilados en Huitzilac. Sus doce o trece cruces marcaron la carretera México-Cuernavaca durante mucho tiempo y todavía las veo. Nos hicieron comprender el horror de la represión.

Como el general Plutarco Elías Calles mandó cerrar las iglesias, oíamos misa a escondidas en casas particulares. Una mañana, en la calle 16 de septiembre, me crucé con el sacerdote que decía misa en casa de mi tía Carito y lo saludé:

—Buenos días, padre.

Hizo un ademán de terror que en ese momento me sorprendió, pero que comprendí más tarde.

A los diecisiete años conocí a un italiano simpático, Schiff-Giorgini, con mi hermana Lydia, que alquilaba en Bretaña una casa en La Baule. La playa se extendía hasta el infinito y había que caminar mucho para que el agua le llegara a uno a la cintura. Andábamos durante horas en bicicleta y Schiff-Giorgini me acompañaba. Para nuestra diversión, a él se le ocurrió decirme Paupiette.

Años más tarde y ya casada, lo vi de nuevo en el Midi. Quiso a toda costa invitarnos a los Pol-Roger, a Johnny y a mí a Montecarlo, porque como yo jamás había jugado, estaba seguro de que si apostaba por él, ganaría. Con su dinero gané para él treinta mil francos, que era mucho dinero en esa época. Me hizo un bello regalo de Hermès. Tomé el tren sola hacia París y toqué el timbre para que el *porter* me trajera una botella de agua. Para mi sorpresa, apareció Schiff-Giorgini con la botella y la cachucha del *porter* en la cabeza. Después de hacerme compañía una hora o dos descendió del tren, quizá en Marsella.

Un día me preguntó si quería hacer cine. ¿Por qué no? Me presentó a Marc Allegret, que era un joven muy guapo que me pidió que memorizara dos textos, uno triste y otro alegre. El día indicado me presenté de madrugada en el estudio de Boulogne; me hicieron esperar en un saloncito por el que según la recepcionista habían pasado todas las estrellas: Marlene Dietrich, Danielle Darrieux y no sé quiénes más. Era muy buena gente y me tranquilizó, pero una vez dentro del estudio la realidad fue otra. Todo se volvió negro, me cegaron los reflectores. Pensé: "Ojalá me pidan el texto triste". Un momento antes había recitado el texto triste en la oficina de Schiff-Giorgini. Para mi sorpresa vi que tenía lágrimas en los ojos. Escogieron el alegre. Lo recité y me dieron las gracias.

Como al cabo de algún tiempo no había recibido ninguna noticia, decidí llamarle para saber del resultado. Con voz brusca me respondió:

—Terrible, querida, terrible, no es usted nada fotogénica.

En 1948, Stan y Aldée nos anunciaron que Schiff-Giorgini y su segunda mujer eran sus vecinos y que daban un baile al que estábamos invitados. Para mi sorpresa encontré en ese baile a Richard Gully, que había desembarcado en Normandía con las tropas estadounidenses durante el *Día D*.

Me presentó a Jack Warner y a su mujer, que llevaba en su escote una esmeralda en forma de corazón tan grande como un huevo de tortuga. Jack Warner me dio la mano:

—¿Cómo está usted?

Al mismo tiempo pasaba su mano izquierda sobre mi espalda desnuda.

—Estoy muy bien —respondí—, y mi espalda también, sin su ayuda.

Richard Gully estalló en carcajadas:

—Cuídese de Paulette. A ella hay que temerle.

Johnny

En 1928 tuve que permanecer unos días en el Hospital Francés por que me sacaron el apéndice, el querido Hospital Francés que, por desgracia, ya no existe. (Digo "querido" porque más tarde, y a lo largo de los años, siempre recurrí a él. En él nació mi hijo Jan, el 9 de marzo de 1947, día de San Juan de Dios, y en él también murió el padre Thomas Fallon.) Después de la operación de apendicitis, cuando tenía 18 años, fui a convalecer a La Llave. Lucio Suttor era el administrador y Rica se ocupaba de los trabajadores de la hacienda y de los habitantes del pueblo. Había mandado traer a unas religiosas de San Vicente de Paul que fundaron una iglesia y un dispensario. Cada año, el Día de Reyes, distribuían telas, juguetes y dulces.

Montaba yo a caballo acompañada por Aristeo, caballerango de ojos azules y actitud respetuosa. Al atardecer leía con pasión *Ana Karenina* en la nutrida biblioteca del tío Pipo y recordaba a Aristeo.

De regreso a la ciudad de México tuve grandes inquietudes. Durante una merienda, le confié al abogado Manuel González: "¿Qué iba yo a hacer una vez en Francia si descubría que estaba enamorada?" Rió y me respondió: "Sería como para escribir una carta."

Samuel García Cuéllar y Luis Carral organizaron un baile de despedida para mí en el Polo. Al sacarme a bailar, Sammy me dijo con tristeza:

—¿No es Antonio Cortina a quien prefieres?

Una noche escuchamos una serenata en la calle de Tíber. A las doce, mamá, cuya recámara daba a la calle, vino a despertarme. Escondida tras las cortinas escuchaba las canciones de moda: "Yo sé que nunca...", "Y todo a media luz...". Con sólo levantar un poco la cortina veía yo las siluetas oscuras de Antonio y de los cantantes que me llevaban "gallo". Mamá llegó con un ramo de flores artificiales:

—Toma, échales estas flores.

—Por favor, mamá, te aseguro, eso no se acostumbra...

Cuando les conté, más tarde, que mamá quería aventarles flores de papel por la ventana estallaron en carcajadas y dijeron que hubiera sido verdaderamente catastrófico.

En una corrida de toros, Carito y yo éramos reinas. Mi prima llevaba un vestido y una mantilla negros con una peineta y claveles rojos encajados tras las orejas; yo iba toda de blanco con claveles rosas y largos aretes de filigrana. Así, sentadas encima de coches convertibles, desfilamos y le dimos la vuelta a la Plaza México.

Después de la corrida, Antonio Cortina y un amigo nos invitaron a La Bombilla, el parque en el que el general Obregón habría de ser asesinado por León Toral unos meses más tarde. Allí, mientras paseábamos bajo los grandes árboles, Antonio me dijo que me amaba.

El estómago me bajó hasta los talones. Me arriesgué tímidamente a preguntar si ese amor ya había pasado y me respondió que creía que no, y al mismo tiempo me interrogó acerca de mis sentimientos. Usé la misma prudencia y le dije que tenía yo que reflexionar. Toda esta faramalla no impidió que esa tarde nos sintiéramos absolutamente felices. De regreso de una excursión a Río Frío, Amelita nos invitó a tomar una copa en su casa. Antonio ofreció llevarme después a mi casa. Por primera vez íbamos a estar solos. Amelita parecía inquieta y nos hizo toda clase de recomendaciones. En el automóvil, antes de que lo dejara, Antonio me besó. Le dije: "Es la primera vez que beso a un muchacho". Y él añadió: "Es la primera vez que beso de este modo".

No volví a verlo porque se fue a Nueva York. Para mí, fue el fin de una época feliz.

Nos acompañaron a Veracruz Manuel González y Joaquín Cortina Goribar, hermano de Antonio. Al caminar con ellos por la calle sentí que algo se trababa en mis tobillos, eran mis calzoncitos de seda rosa bordados de encaje. Con grandes carcajadas los recogí y Joaquín los metió a su bolsa. Antonio me escribió más tarde que había sentido vergüenza cuando le contaron este episodio. ¿No éramos de un romanticismo total? Por ejemplo, Antonio no se separó de un collar de perlas que le entregué para dárselo de regalo a mi amiga Chelo Arzumendi y lo guardó dizque por su perfume.

En el barco conocí a Humberto Pro, hermano del padre Pro, aquel que fuera fusilado por el general Calles. Me dio unas fotos terribles del asesinato del licenciado Segura Vilches, del padre Pro y del indio Trejo envuelto en su sarape, que más tarde insististe en regalar a tu amigo Jorge Aguilar Mora que escribía una biografía de Obregón. Álvaro Obregón quiso ver por sí mismo la ejecución.

Humberto Pro descendió en La Habana huyendo de la

persecución religiosa. (Allen Winslow me llevó una vez al campo aéreo a ver el aterrizaje del avión de Coste y de Lébris, quienes atravesaron el Atlántico en sentido contrario al que siguió Lindbergh; de Francia a Nueva York y luego a México. El presidente Calles no estaba lejos de nosotros y como me miraba, Winslow quiso presentármelo, lo cual rechacé con indignación.) En La Habana embarcó un grupo de intelectuales franceses que había asistido a un congreso en la isla. Su director era Maurice de Waleffe, que usaba pantalón corto y bombacho sobre sus chamorros; pretendía lanzar esa moda. Un día me tomó aparte y sacudiendo su índice frente a mí, me espetó:

—Usted es como Marie Baskirtcheff, no es usted sumisa —comentario que me causó gran alegría.

Jean Louis Vaudoyer se hizo mi amigo, así como Paul Haurigot, ganador de un premio Femina a quien no volví a ver. Me hacía la corte. Por el contrario, Jean Louis siguió siendo mi amigo y el día que me casé me regaló un dibujo precioso de una góndola veneciana.

En París viví en casa de Bichette y Cesarino, rue Daniel le Sueur. En su pequeño departamento, el mueble principal era el piano en que tocaban Cesarino y sus amigos. Invitaban mucho; casi todas las noches recibían amigos. Horacio Capelli tocaba a Wagner, Cesarino cantaba su canción favorita: *La fenestrella*. A su vez, a Bichette y a Cesarino los invitaban mucho en el mundo elegante de la época, y ellos devolvían esas invitaciones con *Spaguetti parties*. Sentada en el suelo, la gente comía sus espaguetis sobre las rodillas y bebía Chianti escuchando la música. Estas fiestas informales tuvieron el mayor de los éxitos. En su conversación, los italianos eran muy ocurrentes, pero muy malhablados. Cesarino nunca habló mal de nadie.

Me volví compañera inseparable de Sylvia y su grupo y salíamos mucho. La temporada de bailes comenzaba en mayo y casi todas las noches acudíamos a uno; incluso algunas veces teníamos dos bailes por noche. Era la época del charleston, que nos divertía muchísimo. De tanto bailar, íbamos por turnos a meter los pies en una de las tinas de la casa para desinflamarlos y poder seguir bailando. En una fiesta en casa de Sylvia me disfracé de negrita. Mi vestido blanco y mi sombrero de paja redondo contrastaban con mi rostro engrasado de negro. Todos quisieron bailar con la negrita.

Los Hottinguer dieron un baile en el que las muchachas debían asistir vestidas de Pierrete de diferentes colores. Nuestro grupo era el de las Pierrettes rosas. A Diane de Rotschild le tocaron las Pierrettes verdes y me dijo con una mueca cómica: "Nosotras, las verdes y las crudas, hacemos tapicería".

Algunas veces íbamos, ya al alba, a tomar *soupe à l'oignon* en Les Halles. Una vez los albañiles me gritaron desde su techo:

—¡Eh, novia, estás perdiendo tu ropa interior!

Llevaba yo un vestido blanco de holanes que giraban y colgaban hacia atrás, como los de las bailarinas españolas; el vestido venía de la casa de costura Irfé, cuyo dueño era el príncipe Yussupof. Su única modelo era la preciosa Carmen que se casó con el inventor D'Esnault Pelterie.

Años más tarde, Carmen llegó a Eden Roc y cómo le preguntáramos de dónde venía, respondió:

—Vengo de un país chiquititito sobre un barco chiquititito.

Hablaba de Estados Unidos y del barco "France". Jacques de la Beraudière, irritado le lanzó:

—Y llega sobre sus grandes pies.

Jacques era encantador. También Jean Louis de la Tremouille, a quien le fascinaba hacer bromas.

Del velero de tu abuelo, Elena, "L'Angélique", se había lanzado al mar sin saber nadar. Metió un pescado podrido dentro del capote del coche de tu papá y a lo largo del viaje de Eden Roc a Speranza los dos nos preguntamos porque olía tan feo, hasta que a Johnny se le ocurrió abrir el cofre.

El fin trágico de Jean Louis de la Tremouille en Inglaterra pareció justificar la leyenda de que el último de los La Tremouille perecería por el fuego, como Jeanne D'Arc. La causa del incendio siempre quedó en el misterio. No se supo jamás por qué no escapó por una ventana, él que era tan ágil y tan buen deportista.

Ese verano de 1929 salíamos mucho Sylvia y yo con Alec Mdivani y Gonzalo Gándara, primo español de Sylvia. El padre de Alec, que tenía muy buena facha, decía: "En Georgia basta con tener cuatro vacas y tres borregos para ser príncipe". Alec tenía un inmenso encanto eslavo, Gonzalo, un encanto español; ambos me gustaban mucho.

Las princesas de Grecia, Elizabeth y Marina, se unieron a nosotros. Sin duda pensaron que nuestro grupo era el más divertido. Muy bellas y de mucha casta, eran también muy parranderas, jamás querían irse a dormir, chaperoneadas por una señora griega que tenía un parche negro sobre el ojo y con quien hablaban en griego, cosa que me molestaba. Marina flirteaba con Alec y Elizabeth con Gonzalo, y Sylvia y yo les hacíamos bromas, pero una noche al salir de La Coupole, como querían seguir la parranda, las metimos a las tres en un taxi y no las volvimos a ver. También eran amigas de Bichette y de Cesarino. Marina hizo un dibujo muy bello y preciso de Bichette. Más tarde se volvió la duquesa de Kent y Elizabeth la condesa Toëring.

Carmen Corcuera nos invitó a Sylvia y a mí a pasar un mes del verano en su villa: Le Chapelet, en la carretera a Bayona, cerca de La Négresse. Era una casa encantadora rodeada de hortensias azules, el parque era inmenso; Pedro Corcuera aventaba pelotas de golf sobre el prado delimitado por árboles soberbios. Después de quince días, lo saludé una noche por vez primera en un cabaret. Me dijo:

—Parece que vives en mi casa.

Me sentí un poco avergonzada porque no se me ocurrió antes pedirle a Carmen que me presentara. Lo único que nos importaba era salir.

Alec Mdivani y Gonzalo Gándara eran nuestros compañeros habituales. Carmen y Beatriz tenían un grupo de amigos para quienes cocinaban sus propias hortalizas en su casita junto a la huerta. Entre los españoles y sudamericanos destacaba el estadounidense Billy Fiske. Muy joven —tres años menor que yo—, habíamos nacido el mismo día: 4 de junio, muy deportista, *scratch* en el golf, conducía su Bentley; abstemio por una promesa hecha a su padre, me encantó desde el momento en que lo vi. Billy se enamoró de mí.

En el precioso comedor decorado con papeles pintados, árboles y plantas exóticas, la mesa de Lupe Mier Corcuera era abierta. Venía quien quería. Todo en esa casa respiraba alegría de vivir. Se salía, se entraba, se invitaba a todos. No había formalismos. Los cuatro hijos jugaban golf. Carmen era campeona de tenis, Pedro papá llevaba a Le Chapelet a sus guapas amigas. Una noche protestó cuando Gonzalo y Alec tuvieron la mala idea de tirar al blanco bajo sus ventanas. Por esa razón no nos volvieron a invitar al año siguiente y Sylvia y yo fuimos al hotel. Siempre consideré que los Corcuera eran mi segunda familia.

Billy Fiske nos presentó a Barbara Hutton, quien tendría dieciséis o diecisiete años, el rostro divino y los pechos demasiado grandes. Me pareció más bien triste. Nos dijo que no tenía religión porque sus padres no la habían bautizado. Una vez quiso empujarme en el auto junto a Billy. Se sacrificaba por él, que estaba enamorado de mí. Bárbara estaba enamorada de Billy y él a su vez se había enamorado de mí. En cambio, yo me enamoré de Gonzalo, quien vivía enamorado de una española.

De regreso a París recibí por fin una carta de Antonio Cortina disculpándose por no haber escrito. Añadía: "Debes haberte sentido muy triste sin mis cartas. Si hubiera estado junto a ti, te hubiera besado y habrías olvidado todo".

En el colmo de la furia, tomé una pluma y de la rabia rompí el papel para responderle que si aún estuviera enamorada de él me habría sentido, en e-fec-to, muy triste sin sus cartas, pero como ya no lo quería, me daba totalmente igual que me escribiera o no.

Sin embargo seguía pensando en él con la esperanza de que viniera a París. Le había dicho a mamá que consideraba que la vida en México con él era la más indicada para ella y para mí.

Todos estos planes fueron trastocados por la entrada en mi vida de Jean Poniatowski.

Al final de la temporada del año 1930 le hablé por primera vez en un baile en casa de los Edouard de Rothschild, en su bella casa de la Plâce de la Concorde. Sentada en medio de mi grupito, me aburría cuando Killian Hennessy vino con él y me lo presentó. Mientras bailábamos (él lo hacía como un osito de peluche) me contó que era director de la Commercial Cable en Bruselas y que venía todos los fines de semana a París a ver a su familia. Después de algunos días me llamó de Bruselas para que nos viéramos el siguiente fin de semana. Me trajo collares de vidrio, que estaban entonces de moda, y me llevó a pasear en su Alphi, un auto de carreras que había armado él mismo con su hermano André. Como el Alphi se descomponía a cada rato, él dejaba caer un: *"Merde"* estruendoso, e inmediatamente después decía: "Perdóneme". Una vez nos cogió una tempestad y tuvimos que refugiarnos en un bistró al borde de la carretera, donde me quité mi gorra gris y rosa y mi abrigo con cuello de lince que chorreaba agua.

Al regresar de una cena en el Coq Hardi de Saint Germain, después de un beso ligerito me explicó que no pensaba casarse; era demasiado joven y no tenía una posición suficientemente sólida. Le respondí que yo tampoco deseaba casarme por el momento (lo cual era verdad; me divertía demasiado) y eso pareció aliviarlo. Acostumbrado a que las muchachas lo persiguieran, mi respuesta lo destanteó y empezó a llamarme con una enorme frecuencia.

A mamá le encantaba descubrir los paisajes y las ciudades de Francia y me llevó a conocer La Grande Chartreuse, pero antes nos detuvimos en Grenoble, donde Johnny participaba en una carrera de autos. En el hotel al que fuimos a comer hizo su aparición cubierto de aceite, negro de grasa. Después de presentarse se disculpó para ir a lavarse. Mamá que lo veía por primera vez, sonrió a medias:

—No me digas que vas a casarte con ese deshollinador.

En La Grande Chartreuse, a donde Johnny nos acompañó, olvidé un alhajero que el gerente del hotel tuvo la honradez de enviarme a París. En la camita del pullman dejé la ventana abierta y Schatz se enfrió. Con mucha razón mamá se irritó conmigo. Debía yo estar nerviosa, porque en el tren Johnny declaró que quería casarse conmigo pronto. Como tú, Elena, no sabía decir que no y su insistencia me impresionó. Se veía muy-muy-muy ansioso. Y yo ¿sabía acaso lo que quería en la vida?

Septiembre transcurrió en Biarritz con Sylvia, esta vez en un hotel. Lo viví atenazada entre los bailes y la angustia de Johnny, que me llamaba por teléfono casi todos los días para conocer mi decisión. No le decía ni sí ni no y él, colgado del teléfono. El momento se acercaba a grandes pasos. Llamé a Chasseriau, a quién quería mucho, con la esperanza de que me aconsejara. Le dije:

—He encontrado al *prince charmant*.

Me respondió con un "¡Ah!" tan lacónico que me dejó desconcertada. Después de mi matrimonio me dijo que había respondido así porque yo era la única que debía decidir, la única que podía saber lo que verdaderamente quería.

Sola.

Hubo un baile romano en La Chambre d'Amour. Yo llevaba un vestido de muselina de seda verde agua, el cabello a la griega y detenido por cintas de plata. Billy Fiske y Jacques Léglise hicieron una entrada sensacional en un carro romano con todo y caballos. Recuerdo a Carmen Béistegui de emperadora, muy bella. Ese baile al borde del mar llenaba el aire de alegría y de frivolidad.

Fue el último baile de mi vida de soltera.

Le dije a Johnny qué día regresaríamos a París Alec, Sylvia y yo en el Bentley de Billy Fiske. Estábamos comiendo los cuatro en el Chapon fin, en Bordeaux, cuando Johnny me llamó de urgencia. Ya en París, en el Hôtel d'Iena, volvió a llamar de urgencia:

—Le he dicho a mi padre que vaya a pedir tu mano.

Aterrada, me enojé:

—¿Cómo pudiste hacer algo semejante? Ni siquiera he tenido tiempo de avisarle a mamá. No sabe nada y se va a enojar. Corre tras de tu papá y dile que no vaya a venir aquí.

Volvió a llamar:

—No lo encontré ni en el Cercle de L'Union ni en L'Epatant.

Entonces llegó daddy y mamá lo recibió muy mal. No estuve presente en la entrevista. Mamá le contó al príncipe André Poniatowski que yo salía todas las noches con distintos muchachos y gastaba una fortuna en mis *toilettes*. Por lo tanto se preguntaba de qué iríamos a vivir. El príncipe propuso que viviéramos en su casa.

A Sylvia, quien llegó más tarde y me encontró en la tina, le dije que me había comprometido a fuerza. Billy esperaba abajo.

¿Cómo pude actuar en forma tan inconsciente? Billy Fiske regresó a Biarritz manejando como loco.

La juventud es cruel.

Bichette me escribió desde Venecia, preocupada. Tenía la impresión de que mi noviazgo obedecía más a la conveniencia que al deseo. Me habían atrapado las convenciones.

El noviazgo duró un mes, la fecha de la boda se había fijado para el 19 de noviembre.

Un día que Johnny me invitó a comer llamó a última hora para avisarme que estaba enfermo. Lo fui a ver a la casa de sus padres. Tenía una indigestión. Evidentemente escogí mal el momento para proponerle que pospusieramos la boda: "Vamos a esperar seis meses" le pedí. Aún lo veo sentado en su sillón de enfermo:

—No te das cuenta de que me estás clavando un cuchillo en el corazón.

Hizo el ademán de clavárselo. Cuando tu padre quería algo, lo quería de inmediato. La suerte estaba echada. Nos casaríamos.

A Christiane du Boisrouvray, que quería saber por qué había escogido a Johnny y no a Billy le expliqué mi pensamiento. ¿Me habría yo casado con Billy Fiske si éste no tuviera dinero? No. Y si me casaba con Billy me volvería, sin duda, una mujer dominada por la facilidad. ¿No había, a los dieciséis años, hecho una oración pidiéndole a Dios el sufrimiento? ¿Con qué fin? Según yo, el sufrimiento era necesario para la realización de la personalidad.

El padre de Sylvia, Joaquín Castilleja tuvo la desgracia de perder su fortuna en el juego. Se vio obligado a vender su hotel particular en la avenida d'Iena, actualmente residencia de la embajada de Estados Unidos.

La pobre Ana Rosa, madre de Sylvia, tuvo que mudarse a un departamento muy modesto en la avenida d'Eylau.

Recuerdo que antes de dejar la avenida d'Iena, nos visitó Alec Mdivani, quien nos mostró el maravilloso *necessaire de toilette* que se llevaba a Newport para ofrecérselo a su prometida, Louise von Alen.

Alec, dominado por su hermana, Roussie Sert, tenía la intención de casarse con Louise, una rica heredera.

Sylvia se casó con Henri de Castellane, que la amaba desde hacía tiempo y para quien no era importante que ella estuviera arruinada. La recepción de su matrimonio fue la última en esa casa.

Sylvia y Henri tuvieron tres hijos. Ella estaba encinta del último cuando Henri cayó gravemente enfermo, quizá de leucemia, y murió a la edad de 32 años. Recuerdo haber llevado una foto de Henri de Castellane a un mago que Sacha Guitry le recomendó a Daddy; me dijo que los dos pulmones de Henri estaban afectados. Creí que sólo un pulmón estaba enfermo, pero al llegar a verlo, François, el hermano de Henri, me confirmó que era exacto. Un médico, que en ese momento salía de la casa, acababa de diagnosticarlo.

El día de la muerte de Henri vi a la pobre Sylvia salir de su recámara, el rostro pálido y extenuada por el peso de su maternidad. Exclamó: "¡La muerte es horrible!"

Algún tiempo después de su viudez se casó con el tío de Henri, el duque de Valençay, Talleyrand-Perigord, que era mucho mayor que ella y le ofreció su nombre, su fortuna y un matrimonio blanco para ayudarla en su triste situación económica.

A ese castillo de Valencay fui a verla antes de que el destino nos separara, ella hacia Marruecos y yo hacia México.

Tanto insistí en que estaba harta de vivir en hoteles, que mamá compró un departamento en el número 5 de la rue du Conseiller Colignon.

De los anticuarios de la Rive Gauche trajo muebles muy bellos: una biblioteca, una mesa de juego, una pequeña mesa lira de la época Louis Philippe, todos para mi saloncito amueblado con un sofá y dos sillones tapizados de azul cielo. Para la sala, un clavecín, un tapete con flores y los canapés y sillones que ahora se encuentran en la rue Casimir Périer. Mamá tenía un gusto exquisito y era una gran conocedora de muebles antiguos. Las vitrinas del *hall* estaban llenas de porcelana de Saxe y de Meissen que a ella le gustaban particularmente. Su recámara era toda blanca y para la mía compró una cómoda y la cama antigua en la que ahora duermes tú, Elena.

Y he aquí que un mes después de habernos mudado, yo me casaba. Con su estoicismo de costumbre, mamá no me hizo un solo comentario.

Mi matrimonio tuvo lugar el 19 de noviembre de 1930. Mamá le había recomendado a la costurera, Augusta Bernard, que me enviara el vestido de novia el día anterior, pero no lo hizo así, llegó en la misma mañana y sin fondo. Tuvo que atravesar toda la ciudad de París para ir a buscarlo y traérmelo. Las costureras cosieron el encaje encima del velo. La boda en Chaillot era a las doce, llegué al cuarto para la una. El chofer detuvo el coche en la esquina, frente a una carnicería. El tío Pipo le reclamó: "¿No ve usted que ella es la novia?" Cuando por fin descendí, ante la puerta de la iglesia, me recibieron las palabras furiosas de mi suegro: "La misa ya comenzó". Mis piernas se doblaron. Mi sobrinito de cuatro años, Babou Poniatowski, me preguntó: "Tante Pauzette ¿no te querías casar?". Mother me echaba miradas de puñal. Avancé a pesar de todo sobre la estrecha alfombra roja hacia el pobre Johnny, que no había dicho nada, y después de sentarme a su lado, traté de concentrarme en el sermón del cura de Limé, antiguo preceptor de tu papá.

Una vez en la sacristía, Augusta Bernard le pidió disculpas a mamá quien las recibió fríamente. Piedita Hohenlohe, muy bella con un sombrero con plumas, me hizo el mismo comentario que Babou.

Nadie creyó que el retraso fuera culpa de Augusta Bernard y todavía hoy que lo escribo, sesenta años más tarde, me recorre la misma sensación desagradable.

En la noche, tu papá y yo tomamos el tren para Cannes.

Stan y Aldée nos acompañaron a la estación. Con una sonrisa nos anunciaron que nuestras maletas no viajaban con nosotros. Después de lo que había vivido en la mañana, me pareció que el hecho no tenía importancia y el no llevar equipaje no impidió que durmiera tranquilamente.

A la mañana siguiente mi *trousseau* llegó al hotel Majestic y pude ponerme el camisón de satín blanco y encajes para mi noche de bodas. En esa época no se usaba que las madres informaran a sus hijas lo que iba a sucederles. Como era totalmente inocente, tuve la sorpresa de ver el sexo de Johnny transformarse en obelisco. Mi asombro fue grande porque no sabía lo que me esperaba. Me dolió un poco y eso fue todo. Sin embargo, no he olvidado el rostro plácido de Johnny sobre la almohada, la dulce mirada de sus ojos color de uva y el sonido aun más dulce de su voz cuando me dijo: "Mi mujercita".

A la mañana siguiente nos embarcamos en Marsella para Argel en el "SS. Président Dalpiaz". En el mismo barco venía la pequeña Ford, muy alta sobre sus llantas, regalo de mamá para nuestra luna de miel.

A mi suegro, que nos había propuesto viajar a Italia, le declaramos, como los jóvenes cabeza de alcornoque que éramos, que no queríamos hacer lo que todos hacían y preferíamos ir a Marruecos. En esa época, Marruecos estaba en cuarentena y decidimos pasar nuestra luna de miel en Argel y en Túnez.

Argel me pareció una ciudad blanca sin más. Al pasear dentro de la Kasba me impresionó la mirada de odio de una mujer sentada a la entrada. No sentí ninguna simpatía por los árabes y me disgustó el guía que nos condujó de Bou-Saada a Biskra.

Había soñado con el desierto, apenas entrevisto en la

película *The Sheik of Araby*, con Rodolfo Valentino, así que me defraudó un paseo en camello sobre las dunas que no terminó en ningún oasis. En Bou-Saada nos llevaron a un cabaret en el que los hombres bailaban vestidos de mujer y en Medenine dormimos en un hotel infecto en el que sólo había una recámara con un lavabo, en el que Johnny vomitó su alma. El vino de Argel era demasiado pesado y yo también enfermé cuando Johnny se detuvo de golpe al borde del precipicio para demostrarme su maestría al volante.

La carretera al borde del mar era bella y después de una curva, a la vista de Constantina, toda azul sobre el acantilado que dominaba el mar aún más azul, exclamé: "¡Qué belleza!"

En Bone, un amigo de Johnny nos invitó a comer unos langostinos deliciosos, tan grandes como langostas. Otro amigo de Johnny, Michel de Coux, nos fotografió ante las ruinas de Timgad vestidos con *burnous*. En Túnez, el general y la condesa de Chambrun fueron nuestros anfitriones en su palacio de Dar-Hussem. Habitamos el antiguo harem con sus nueve ventanas para nueve mujeres, quizá para más. Los Chambrun pusieron a unos senegaleses negros e inmensos a nuestro servicio. Uno de ellos entró a la recámara sin tocar y no se inmutó al verme desnuda de la cintura para arriba. Simplemente me dijo:

—La señora está servida.

Una vez, en el momento del amor en la gran cama en la que probablemente habían dormido más de nueve mujeres (a lo mejor era yo la décima), Johnny me preguntó si había gozado. Le respondí que sí porque mi hermana Lydia me dijo que siempre había que esconderle al marido la falta de placer. Entonces Johnny me dijo: "Es maravilloso".

De Túnez fuimos a visitar Kairouan y su mezquita, y la isla de Djerba, a la que pasamos con la Ford en la panga.

Túnez me pareció más bello que Argel. Nos despedimos de los Chambrun, que nos habían recibido con tanta gentileza. Ella era estadounidense y una apasionada de Shakespeare. Su hijo, Bonny muy amigo de tu papá, se casó con Josée Laval, hija de Pierre Laval, el hombre de Estado cuyo destino fue tan injustamente trágico.

Fuego de chimenea

addy nos instaló en su casa de la rue Berton 15, en un pequeño departamento que decoró durante nuestra ausencia. Se componía de dos piezas, dos baños y una estancia con un piano vertical. Durante el invierno había calefactores eléctricos que mantenían la temperatura de los baños y el fuego ardía en las chimeneas de las recámaras. Me gustaba llegar al sueño viendo las llamas desde la cama. Me inspiraban para contarme cuentos. Varias veces me he preguntado por qué perdí la facultad de inventarme historias. Sin duda, la rutina y las preocupaciones de la vida diaria suplantaron la fantasía.

En la esquina de la rue Berton 15, en la rue du Maréchal Manaury, vivían Casimir, el hermano de Johnny, a quien le decíamos Cash, y Anne de Caraman Chimay, su mujer y mi cuñada. Aunque eran mis vecinos, sólo me acerqué a Anne años más tarde, en Santa Bárbara, California, cuando nos recibió a Johnny y a mí en su rancho heredado de Mother, en el que cultivaba limones, del que Cash y Anne se encargaron para los cuatro hermanos. Ya la quería mucho, pero entonces la descubrí. Culta, inteligente, práctica, es a la que más quise de mis cuñadas. Tu papá, de niño, iba mucho a casa de Anne y Cash cuando sus padres salían a cenar. Tu tío Cash así me lo escribió:

Recuerdo el nacimiento de Jean como si hubiera sido ayer, tanto marcó la vida de todos nosotros. Al llegar a la recámara de nuestros padres, la puerta se abrió y me llevaron al lado de la cama elevada de nuestra madre, allí vi una cuna sobre la que me incliné. Así descubrí a Jean por vez primera. André me seguía. Stan estaba de interno. Por lo tanto, fui el primero de los hermanos en conocerlo.

Le llevaba yo diez años más doce días y nos amábamos mucho. Quizá fue así porque pasamos los tres primeros años de mi matrimonio bajo el mismo techo familiar del 41 rue Saint Dominique y nuestro cariño se vio reforzado por una comprensión mutua. Al regresar de nuestra luna de miel, al principio de enero de 1920, Jean acababa de cumplir trece años, Anne diecinueve y yo veintitrés. La atmósfera de la casa era muy alegre, bañada por el afecto. Jean venía muy seguido a vernos, la salud de Anne era delicada y cuando nuestros padres salían a cenar, Jean venía siempre a compartir una comida que Anne tomaba, por lo general, acostada en su cama. Es allí donde nacieron Michel, en 1922, y Elizabeth, en 1923. Robert y Ghislaine d'Harcourt acudían a comer o a cenar y Johnny se integraba entonces al grupo que formábamos, prestándose de buen corazón a las pequeñas bromas que le hacíamos y de las que era el primero en reírse.

Mi vida de recién casada no me traía muchas alegrías. Acostumbrada a la conversación de la casa de mamá, en la que todos intervenían a tontas y a locas, las comidas en la rue Berton me cohibieron por solemnes, no por Mother, quien era la bondad misma, sino por la personalidad silenciosa de Daddy que me imponía mucho. Yo era muy libre y mamá siempre me permitió tener amigos y salir cuanto quisiera. A tu padre no le gustaba salir. Durante el día se iba a trabajar a la ITT (International Telephone and Telegraph), era director de la Commercial Cable en el Boulevard des Capucines. Yo lo esperaba en casa preguntándome por qué me había casado con él.

Todos los domingos por la noche Mother insistía en que sus cuatro hijos y sus cuatro nueras vinieran a cenar, lo cual molestaba a los hermanos mayores de tu padre, Stan y André, que iban de cacería los fines de semana a su propiedad del Mont Banni o a casa de amigos. Tu papá y yo también salíamos. En vano le habíamos rogado a Mother que escogiera otro día, pero ella no cejaba. Llegábamos del campo cansadísimos a cambiarnos; los hijos tenían que ponerse *smoking*, nosotras, las nueras, vestido de noche. Después de la cena, el *chef* hacía su aparición en la sala con su delantal y gorro de cocinero. Nos saludaba uno tras otro:

—Buenas noches, princesa, buenas noches, príncipe —repetido diez veces.

Todo el mundo le respondía:

—Buenas noches, *chef* —salvo yo que distraída, una ocasión le respondí:

—Buenas noches, príncipe —seguido por una carcajada que quedó sin eco.

Tu padrino, Evremont de Saint Alary, gran amigo de tu abuelo y padrino también de tu papá, venía a veces a las tiesas cenas de los domingos. Aunque me intimidaba, terminé por quererlo mucho. Tenía la buena facha y la suprema elegancia de los hombres de su época.

Una tarde sus azules ojos de porcelana se dulcificaron para mí cuando le hice la confidencia de que no era feliz. Tenía que decírselo a alguien y lo escogí a él. Me escuchó tierno y protector y me dijo que aguantara. Era propietario de un *harás* en Normandía y nos invitó a pasar con él la semana siguiente. Me fascinaban los caballos, pero no conocía la existencia del padrillo que entrenaba a la yegua para el garañón. Saint Alary lo sabía todo acerca de las yeguas finas.

Me hubiera gustado que al morir Evremont de Saint Alary le heredara su *harás* a Johnny, a pesar de que no podíamos mantenerlo. Su amante, conocida como "La manzana", fue la heredera. ¿Por qué no se casó con ella ni tuvo hijos? Es un misterio que no he podido descifrar.

A otra cena en la rue Berton fueron invitados Bonny de Chambrun (el hijo del general que nos había acogido en nuestra luna de miel) y Josée Laval, su mujer. Él era abogado y estaba muy ligado a los estadounidenses en Francia. Bonny, sentado a mi lado, hablaba mucho. Le pasaron una *terrine de foie-gras de prunier* acompañada por una salsera de agua caliente para meter la cuchara después de cortar el paté. Distraído, Bonny se sirvió el agua sucia y con ella roció su paté.

Una noche, Bonny dio una cena en el Pré-Catelan en honor del mariscal Pétain. Los doce invitados eran importantes y de ellos sólo tres éramos mujeres: Josée Laval, Nelly de Vogué y yo.

El *maître d'hôtel* trajo un platón de pollo, se tropezó y tiró la salsa sobre la espalda del invitado al final de la mesa. Todos se precipitaron a limpiar sus hombros. Pero olvidaron limpiar el piso, sobre el que resbaló otro *mâitre d'hôtel* que acudía presuroso con el segundo pollo. Por fin trajeron otro platón muy bien ornamentado. Yo estaba sentada a la derecha del mariscal Pétain y le dije:

—Vea usted, señor mariscal, trajeron un tercer pollo.

El mariscal me respondió:

—Debe ser el mismo que han lavado un poco.

Esta sucesión de pollos, perdón, de acontecimientos dignos de una película de Laurel y Hardy, no impidió una conversación brillante y llena de *esprit*. André Maurois se levantó para hacerle un brindis al mariscal e improvisó un precioso discurso. Según la costumbre, las mujeres guardábamos silencio. Me hubiera gustado, a pesar de mi timidez, recitar quizá algunos versos que sabía de memoria:

Oh rabia, oh desesperación, oh, vejez enemiga,
¿habré vivido tanto sólo para esta infamia?

Más apropiado hubiera sido el poema ligeramente modificado de Louise de Vilmorin:

Oficial de la guardia blanca,
protéjame de ciertos pollos (en vez de pensamientos) *en*
la noche.

Entre comidas me aburría. Johnny rechazaba sistemáticamente todas las invitaciones a recepciones y bailes. Yo había soñado con ir a un baile de *tableaux vivants*, en casa de Etiènne de Beaumont representando a Julieta Recamier, porque mamá tenía una *chaise-longue* igual a la del cuadro del

Louvre pintado por David. Los bailes Beaumont eran conocidos por su elegancia y al mismo tiempo por la austeridad del *buffet* en el que sólo se servía naranjada. Así, después del espectáculo los invitados corrían a restaurarse a los bistrós. No ir a los bailes de la temporada me entristecía y empecé a salir sin Johnny, quien se quedaba en la rue Berton tocando el piano y no parecía sentir mi ausencia. Asistí a muchos bailes en los que me divertí de lo lindo.

En ese año de 1936, Elsa Schiapparelli organizó una entrada de baile de la corte de Siam. Yo era el rey de Siam, Gogo Schiaparelli, la hija de Elsa, era la reina. Algunas bellas jovencitas formaban nuestro séquito; una de ellas era mi amiga Eve Curie. A pesar de la suntuosidad de nuestros trajes de lamé rosa y oro, yo me sentía fea con el pelo jalado bajo un gorro puntiagudo. Mis babuchas de punta volteada no me hacían la menor gracia. El momento culminante del baile de esa noche, antes de la guerra, fue la mágica aparición de lady Iya Abdy, vestida de velos blancos y rodeada de globos irisados. Supe que había participado en la obra de teatro *Les Cencci*, de Antonin Artaud. Después la vi sentada en una mesa, asediada por los hombres, y mi admiración, no desprovista de envidia por su enigmática sonrisa de Gioconda, fue creciendo. Jamás imaginé que sería mi huésped años más tarde en México y que se enamoraría de Matías Goeritz.

Mucho tiempo después de la guerra, lady Iya Abdy llegó a México proveniente de Tehuantepec. Acompañada por Matías Goeritz vino a comer a la casa con dos patitos beige divinos: sus picos eran azul-turquesa sobrepujados con una pequeña protuberancia rojo vivo: unas joyas. La dinastía Ming no habría hecho nada más bello. Iya me sorprendió al contarme que volvía a Tehuantepec en avión a la mañana siguiente, porque no aguantaban el clima de México. Su amor por los pájaros era tan evidente que cuando dejó México su equipaje consistió en nueve jaulas llenas de pájaros de todo tipo, entre ellos una cacatúa. Su partida en el aeropuerto Benito Juárez resultó espectacular, y más aún su llegada a París, al departamento de la rue Casimir Périer de tu tía Bichette. La cacatúa —mala— mordió el dedo de Bichette y encontró el modo de escapar por la ventana e ir a posarse en una de las torres de la iglesia de Sainte Clotilde. Por más que Iya se inclinó por la ventana para llamarla a gritos, la cacatúa se negó a regresar, encantada de poder ver desde su percha el río Sena, la Cámara de Diputados, la Plaza de la Concordia, y más allá, el Sagrado Corazón de Montmartre. Como último recurso, Bichette tuvo que acudir a los bomberos, que se presentaron en sus impresionantes vehículos con sus largas escaleras y sus chorros de agua, y la recuperaron.

Felizmente, la estancia agitada e incongruente de Iya duró una semana. Se llevó sus pájaros al Midi, su destino final.

Al regresar de nuestro viaje de bodas, la madre de Daddy, la princesa Stanislas Poniatowski, nacida Louise Lehon, hija a su vez de la condesa Lehon y, según los rumores, hija natural del duque de Morny, a su vez hijo natural de la reina de Holanda, murió en un departamento de Neuilly. Durante su entierro, en 1931, vi por primera vez a la princesa Catherine Poniatowska, hermana de Daddy e hija de Louise Lehon. Johnny y yo nos enteramos de la existencia de la única hermana de Daddy por un artículo publicado, en ocasión de nuestra boda, en *Les Écoutes* que decía más o menos lo siguiente:

Se dice que la puntualidad es la cortesía de los reyes. No fue el caso de la boda del príncipe Poniatowski, descendiente del rey de Polonia, y de la señorita Amor Yturbe, descendiente del emperador Yturbide [sic], quien llegó con una hora de retraso a la iglesia. La princesa Catherine Poniatowska no fue requerida al matrimonio, sin duda porque acostumbra frecuentar a las señoritas del Moulin Rouge.

A la hora de la muerte de su madre, Daddy se reconcilió con la tía Catherine, y más tarde ella tenía el privilegio, concedido a muy pocos, de venir a comer a la rue Berton. Impasible, Daddy casi no le dirigía la palabra. Mother, Johnny y yo le hacíamos conversación.

Cuando nos instalamos en el Quai de Passy, la invitamos. Tú apenas habías nacido y cuando se inclinó para mirarte vi un lagrima rodar a lo largo de su nariz y caer sobre tu cuna. Murió durante la guerra y Daddy, quien vivía en Les Bories, encargó a tu papá desmantelar su departamento de la rue de Rivoli, del cual heredé algunos recuerdos que no recuerdo.

Daddy era muy amigo de Sacha Guitry, casado en esa época con Yvonne Printemps. Siempre íbamos al ensayo general, mucho más divertido que la *première*. Yvonne Printemps era preciosa, tenía una voz de oro que le gustaba forzar y sostener en el filo de la nota más alta. En *Franz Hals*, escrita por Sacha Guitry, vivió de verdad su amor adúltero con Pierre Fresnay, a quién tú habrías de entrevistar en París, en 1955, cuando ya eran un viejo matrimonio.

Mother y Daddy tenían a su cargo un asilo para ancianos y niños polacos llamado Saint Casimir. Con el fin de obtener fondos para el asilo, le pidieron a Ignacio Paderewski que tocara un concierto en Versalles y lo hizo con mucho gusto.

Vino a la rue Berton y tocó en el piano Steinway que acompañó a Johnny a lo largo de su vida y hasta nuestra casa de La Morena, en México. Lo pusimos en la terraza y Johnny, sentado frente al piano, encantaba mis atardeceres. Tímido y muy modesto inquiría; "¿No te molesta que toque el piano?". Yo le respondía: "Al contrario, me gusta escucharte".

En Francia íbamos a pasar algunos fines de semana al pabellón de cacería del Mont Banni que Daddy nos había regalado. En nuestro álbum hay fotos de Sylvia y Henri de Castellane, de Suzanne y Jean Hottinguer, y de Carmen Corcuera, que hacía piruetas sobre el pasto. En alguna otra ocasión vinieron Elena Verea, quien se convirtió en la condesa de Teba, Inta Anchorena, Killian Hennessy, actual marido de Sylvia, y Miguel Yturbe, quien ofreció ir a la granja a recoger huevos y declaró más tarde que descansar en el campo era una metáfora, porque nunca había trabajado tanto como durante ese fin de semana en nuestra casa.

Hubo una cena en Reims en la que el champagne Pommery salía de llaves de cobre frente al lugar de cada comensal. Stan y Maxence de Polignac se divirtieron desmontando un viejo coche que metieron dentro de la sala del Club Automovilístico. Todo el mundo estaba muy alegre, yo no tanto. El regreso al Mont Banni en nuestro Ford manejado por Johnny que iba del árbol de la derecha al de la izquierda acabó por quitarme todo entusiasmo por ese tipo de reuniones.

Poco tiempo después de casarnos hicimos un viaje de un mes a Holanda, porque Johnny tenía que participar en una convención de la ITT. Vivimos en el Hôtel des Indes en La

Haya, en una gran habitación con una enorme ventana oval que daba hacia la calle. Todas las mañanas le preguntaba yo al *maître d'hôtel* que nos traía el desayuno, cómo seguía Ana Pavlova, enferma en la recámara bajo la nuestra. La lluvia no cesaba de caer contra los vidrios. Resulta que el tren en el que viajaba con la compañía de ballet que ella misma formó dos años después de bailar con Diaghilev, se descarriló y los pasajeros tuvieron que bajarse en la nieve. Desde entonces la Pavlova se había resfriado. ¡Y yo que tanto deseaba verla bailar! Tenía ilimitadas dotes de actriz y sus interpretaciones de *Giselle*, *Las sílfides* y *El lago de los cisnes* eran un sueño. Con tristeza, pensé en la mala suerte de esa gran artista que moría a los 47 años en La Haya en un cuarto de hotel.

La visita repetida al encantador Mauritzhuis en La Haya llenaba mi tiempo libre. Conocía de memoria el sitio de mis cuadros preferidos. También admiré *La ronda de noche*, de Rembrandt, en el Rikjs Museum arreglado con gusto y sobriedad. Johnny y yo nos veíamos para comer y cenar en forma pantagruélica, ya fuera en el hotel o en un restaurante. Primero nos traían, sobre una mesa rodante, los *hors d'oeuvre*, caviar y ostiones a escoger. Después, platillos de pescado y de carne, y de nuevo la mesa rodante con los más diversos pasteles, dulces y frutas. ¡Ah, se me olvidaban los quesos! Con razón los holandeses son tan fortachones. Un domingo, desde un balcón del primer piso, me entretuve mirando el té danzante en el *hall* del hotel. Las robustas holandesas, de traje sastre y sombrero, bailaban entre ellas. Sólo había un bailarín que por turno las hacía girar a todas.

El conserje del hotel nos llamaba "Altezas", lo cual me divertía sin disgustarme. Pero Johnny le dijo en un tono hosco que éramos monsieur y madame. Evidentemente, en la convención de la ITT, Johnny no quería usar su título. De regreso a París me di cuenta que Mother, al igual que yo, no tenía gran cosa qué hacer. La acompañaba a veces a comprar frutas, flores o a pedir blancos en la Maison de Blancs o a ordenarlos en la Maison Capdeville, sábanas muy bellas de lino blanco bordadas con una pesada corona con un monograma que consistía en una cabeza de toro, por los Torelli. Por cierto, recuerdo que al regresar del viaje de bodas, Mother preparó nuestra cama con numerosos cojines bordados con la cabeza del toro y al preguntarme qué opinaba le dije riendo:

—Demasiados cuernos.

Sus criados eran numerosos. El *maître d'hôtel*, Armand, a quien Jimmy, el perro de Johnny mordía las pantorillas cuando servía y él le daba de patadas mientras sostenía en equilibrio su platón; el *valet de chambre* que le ayudaba, ambos vestidos de librea verde botella con botones dorados; Nellie, la mujer de Louis, una encantadora rubia, el segundo *valet de chambre* era la recamarera de Mother; el *chef* se llamaba, creo, Copin, y su pinche de cocina, Gastón; el chofer, Henri; Jules, era el *valet de chambre* de tu papá, a quien llamabas Zules; mi recamarera, María Luisa, me ayudaba a vestirme, y más tarde tu buena y correosa nana, *nounou Lasconjarriat, te llevó en brazos y te cuidó mejor que a sí misma.*

Todos ellos se llevaban muy bien. En la rue Berton casi no se les oía porque Daddy había puesto la cocina en el piso alto para evitar los olores. En la casa de campo de les Bories era distinto, porque a pesar de ser menos numerosos, sus risas nos llegaban durante la comida y como Daddy protestaba Mother los disculpó:

—¡Los amorcitos se están divirtiendo tanto!

Nuestras vacaciones transcurrían en el sur de Francia, en Speranza y a partir de la primera vez volvimos cada año en agosto. Alguna vez invitamos a Jean Hottinguer, otra a Carmen Corcuera. Mother no los apreciaba y decía que confundían su casa con un hotel, porque salían veinte horas de las veinticuatro y hacían todo lo posible por evitar las tediosas cenas y comidas. Una noche que veníamos de Monte Carlo con Carmen y Jimmy de Pourtalès tuvimos la buena idea de meternos a bañar en una playa solitaria, las mujeres por un lado y los hombres por otro. Una vez dentro del agua y muy lejos de la playa, vi una silueta que se llevaba nuestra ropa y escapaba con ella. Al escuchar mis gritos, Johnny llegó pegando brincos por encima de las olas y pudo alcanzar al guardián, quien le explicó que no estaba permitido bañarse desnudo y nos devolvió nuestros vestidos, pero perdí el reloj que había dejado dentro de una de mis alpargatas. ¿Qué importaba el reloj al lado del pánico que me entró ante la idea de regresar desnudos como gusanos y toparme de pronto con mi suegro?

Cuarenta años después —¡cómo cambian los tiempos!—, en la playa de Pamplona observé a una mujer muy llamativa orgullosa de exhibir sus pechos firmes ante sus dos hijas mayores, y a otra joven que mojaba los suyos en un plato de espagueti. Los tenía cubiertos de salsa de jitomate.

En 1972, en el Arcoa, cerca de Port Grimaud, rebasamos a un velero Johnny, Alejandro, mi nieto, y yo. Noté que la pareja que lo conducía llevaba el mismo traje de baño color beige.

Alejandro me aclaró:

—No llevan ningún traje.

En octubre de 1931 me dio mucho gusto constatar que estaba encinta. Mi deseo de tener hijos bellos e inteligentes era muy grande. Una noche le dije a tu padre que no era feliz. ¿Sería por la diferencia de nuestros caracteres? Siendo yo muy sensible, tenía gran necesidad de demostraciones de cariño y Johnny era impaciente y algunas veces piafaba como un potro. Ante sus padres me trató una vez de idiota. Daddy se enojó y le dijo:

—No se le habla así a su mujer.

Evidentemente, mi forma de ser no era la suya. Sus conversaciones eran de política y de negocios. A Johnny le apasionaban los automóviles, que a mí me tenían sin cuidado. Mi lado distraído y soñador lo irritaba; en muchas ocasiones ni lo oía. Lo sorprendí un día dibujando mi perfil. Había puesto frente a mí un inmenso signo de interrogación.

Los Poniatowski

C atalina La Grande era tres años mayor que el conde Estanislao Poniatowski, desesperadamente ávido de instruirse. Catalina observó una conducta ejemplar antes de engañar a Pedro Holstein Romanov, su espantosísimo marido que no podía poseerla y jugaba a los soldaditos encima de la cama mientras ella, niña al fin, no tenía más remedio que esperar en camisón el momento en que a él le interesaran otro tipo de juegos. Se esmeraba en obtener la estima de su suegra, la sensual emperatriz y augusta soberana de la gigantesca Rusia, Isabel Petrovna, su majestad imperial, germana como ella.

En 1762, Estanislao Poniatowski describió hasta su indumentaria al verla por primera vez y rendirse a su voluntad:

No puedo dejar de recordar el atuendo con el que la encontré. Llevaba un vestidito de satín blanco, ligero, de encajes mezclados con listones rosas que rodeaban su escote por el cual se asomaba una rosa fresca. Tenía veinticinco años, el punto de belleza que suele ser el máximo alcanzable en la vida de toda mujer. La blancura de su piel era deslumbrante, su boca llamaba al beso, las manos y los brazos eran perfectos. Tal fue la amante que se convirtió en el árbitro de mi destino.

Poniatowski era virgen, Catalina fue su iniciadora. Por ella corrió todos los riesgos imaginables. Para acceder a su recámara se disfrazaba, distraía a la guardia nocturna, engañaba a su propia escolta y Catalina recibía en sus brazos a ese joven delicado y tímido que jamás dejaría de amarla.

A Catalina, Sergio Saltykov la abrió a la sensualidad y Poniatowski al refinamiento y a las sutilezas del amor. A Gregorio Orlov, que posiblemente asesinó a Pedro, su marido, le debía el trono. ¿Cómo no favorecerlo? Potemkin era tuerto, brusco, irresistible, había que derribarlo y él la llevó envuelta en zibelinas por las inmensas estepas de la tierra rusa para que conociera la extensión de su imperio. El joven Platón Alexandrovich Zubov fue el ídolo de sus sesenta años. Catalina no supo que la llamarían "La Mesalina del Norte". Era una alemana absolutamente excepcional. Ninguna bacante, ninguna ninfómana. Su vida sexual fue pública y lo que se celebra en un hombre —más en un monarca—, en ella fue piedra de escándalo. Vestida de hombre —porque de joven, el pantalón de montar con casaca de terciopelo azul galoneada de oro y tricornio le sentaba de maravilla—, Catalina tuvo, según la historia, doce amantes de alto rango, entre ellos el tuerto Potemkin e Iván Nikolaievich Rimsky-Korsakov, antepasado del músico. El príncipe Simón Narychkin llevaba cada noche al elegido a las habitaciones de su alteza. Era admirable su fortaleza: a cualquiera otra, tal afán amatorio le habría significado la muerte.

La zarina y emperatriz de todas las Rusias hizo rey de Polonia a Estanislao. Él anhelaba únicamente regresar a su lecho y le escribió:

Le ruego, la conjuro, respóndame y dígame algo que pueda consolarme. Lo necesito más de lo que imagina. Me hace usted rey pero ¿me hace feliz? No puedo borrar el recuerdo de la felicidad que gocé ni el deseo de recuperarlo. No se ama dos veces en la vida como la he amado. ¿Que me queda? Un vacío, un tedio espantoso en el fondo del corazón que nadie puede llenar. ¡Ah, no sé cómo estén hechos los demás, pero yo siento que la ambición es cosa tonta cuando no está respaldada por la paz y el contento del corazón! Y además ¿estoy yo en condiciones de hacer el menor bien? ¿Me dará usted esa posibilidad? Al darme una corona pretende absolverse ante el público informado. Si así es, su corazón se parece poco al mío. La amo con un sentimiento que no puede ser igualado por ningún otro. Oh, Sofía, Sofía [su verdadero nombre: el mismo que usaba cuando eran amantes y tuvieron una hija que murió: la princesa Ana], no quiero la corona de Polonia. Sólo abrigo un sueño: estar contigo. No puedo vivir sin ti. ¡Déjame volver a Rusia... y a ti!

Tanto amor no la conmovió y Catalina jamás volvió a tratarlo sino con distancia. Veinticinco años después, en 1787, se encontraron de nuevo. A pesar de tener a la vista a una matrona de piel ajada y cabellos grises, el rey Poniatowski, conmovido, la miró largamente. En ella se había asentado todo el peso de los derramamientos impúdicos: los del poder, los de la carne. Sin embargo, se hubiera postrado a sus pies si Catalina no lo despacha con celeridad. En el lecho real la esperaba el efebo Platón Zubov.

Si sus otros amantes eran unos burdos gigantones, Poniatowski fue un hombre fino, culto, sensitivo, que sabía de música, de literatura, perteneció al salón de madame Geoffrin en París. Secretario de un hombre de espíritu y escritor inglés, sir Charles Hanburry Williams, el joven Poniatowski fue un interlocutor apreciado por los pensadores de la época.

Estanislao disputó su trono con su tío, el hermano de su madre, Augusto Czartoryski, y la contienda escindió a la familia. Cuando los nobles: Czartoryski, Branicki, Potocki, Radziwill, Wolkonski, Sapieha, apoyados por el conde de Kayserling dijeron que había que llamar a las tropas rusas para evitar la guerra civil, en 1763, Estanislao Poniatowski exclamó:

—Bajo ningún pretexto deben entrar los rusos a Polonia.

—Si las tropas rusas no entran —le dijo Kayserling— usted no será rey.

—Que no lo sea yo y que no tenga reproches que hacerme.

Al día siguiente de su coronación, Estanislao Augusto le escribió a Voltaire para invitarlo a Varsovia y asegurarse el apoyo del intelectual que más influía en el pensamiento de Europa. Al volverse rey, Estanislao Augusto mejoró la suerte de Polonia y Lituania, a pesar de sus poderosos y voraces vecinos, siempre dispuestos a quitarles su territorio. Ya desde antes, cualquier razón era buena para los ricos que mordían a Polonia, le arrancaban un pedazo, le arrebataban ríos y bosques, cercenaban sus fronteras, se la comían.

Muy pronto, Estanislao Augusto se dio cuenta de que su corona era de espinas: "Es imposible hacer rápido y bien grandes cosas en un país debilitado por la disipación y el desorden de dos siglos". A pesar de todo, y en medio de las amenazas, Estanislao Augusto le hizo bien a su país ayudado por otro Poniatowski: el príncipe Estanislao, su sobrino favorito, un joven de sobria elegancia, un poco distante y quizá el terrateniente más rico de Europa. Estudioso, buen pensador, emancipó a los quinientos mil campesinos que vivían en cuatro de sus pueblos de Ucrania; redactó y repartió manuales de agricultura; quiso difundir la veterinaria, traer · artesanos y trabajadores especializados para industrializar las ciudades y, con el rey, liberar intelectualmente al país. Si lograba erradicar la anarquía, la nación se volvería adulta y en el futuro, una Polonia instruida y preparada se levantaría contra la tutela extranjera.

Con la ayuda de su inteligente y método sobrino, Estanislao Augusto logró que se aprobara una ley que otros países mejor ilustrados sólo adoptarían más tarde: la abolición de la tortura. En vano imaginó un reino eslavo hermoso y justo, con sus fronteras respetadas y sus habitantes educados, una Polonia cubierta de caballos ricamente enjaezados, de campesinos con gorras de astracán, de damas de la corte que siguieran llamándolo "El rey adorable", de fastos y refinamientos que no terminaran sino en la elevación del espíritu, jamás en las grotescas borracheras de la corte rusa. Sus ilusiones se estrellaron contra la realidad: un cañón, cuyos primeros disparos fueron el anuncio de la invasión rusa. Estanislao pretendía vivir a la francesa en un país olvidado por la civilización. Él, que sólo quería escuchar un preludio tocado en sordina por una orquesta de cámara, salió al estallido, al tumulto, al zumbar de las balas, al campo de batalla.

Después de rechazar a Poniatowski, Catalina lanzó su plan de repartir Polonia entre ella misma —o sea Rusia—, Federico II de Prusia y María Teresa de Austria. Para el dulce e ingenuo Estanislao, aquellas tres brutales divisiones de Polonia —en 1772, 1793 y 1795— prácticamente aniquilaban a su patria. Con sus decisiones, Catalina lo desmembraba a él, le arrancaba órganos de su propio cuerpo. En vano luchó. Así se lo escribió a madame Geoffrin: "Los tres ejércitos, Rusia, Prusia y Austria, chupan la sangre del país. Polonia alimenta a 100 mil hombres de tropas extranjeras". En abril de 1773 el rey desesperado le confió de nuevo a madame Geoffrin:

Felices los muertos. Feliz mi hermano que murió en Viena [Andrés Poniatowski]. Sufriría al verme despojado por ese emperador a quien servía tan bien. Hice lo que pude para retrasar el momento de nuestra desgracia y para darle tiempo a Europa de venir a socorrernos. ¿Qué sucedió? Europa me abandonó y los que me despojan hoy me acusan. Por mi oposición a su voluntad soy la causa del agravamiento de los males que las tropas infligen a mi nación.

Con su habitual sentido común, la buena burguesa de madame Geoffrin le respondió: "Un rey sin tropa y sin dinero no puede emprender nada. ¡Nadie en el universo es más infeliz que usted!".

El despojo resultó tan ultrajante que tampoco los nuevos propietarios tenían buena conciencia, aunque al recibir las tierras polacas Federico de Prusia se deshizo en agradecimientos a la emperatriz Catalina: "Dios dijo hágase la luz y se hizo la luz. Usted habla y el mundo enmudece". Menos convencida de su derecho, María Teresa de Austria firmó el tratado con lágrimas en los ojos, lo cual no le impidió llevarse su parte del botín. D'Alembert, cuyo juicio Catalina II estimaba, declaró que la división de Polonia era una violación al derecho internacional. La airada condena de Europa no se hizo esperar, pero todo quedó en palabras. Talleyrand, el joven seminarista de 22 años, hizo pública su indignación "por ese gran acto de injusticia y de desposeimiento". Al rey le ponían un puñal en la garganta. Una acción en falso y perdería su país. Nadie acudió a su llamado. Francia no respondió. El rechazo de Inglaterra fue absoluto, aunque Jorge IV habría de llamar al rey Poniatowski "el primer gentilhombre de Europa". Los reyes de Dinamarca, Suecia, Cerdeña y Portugal le dieron la espalda y atestiguaron con indiferencia la agonía del pequeño país. Al rey lo tacharon de débil, de pusilánime porque no combatió a los rusos. ¿Qué podían hacer quince millones de polacos contra treinta y siete millones de rusos? Hubiera sido el fin de Polonia. Lejos del fácil desplante, Poniatowski tuvo el heroísmo profundo de resistir. La resistencia es quizá la forma más difícil de valentía. Kozciusko lo comprendió, porque, ya liberado de su prisión y antes de partir hacia Washington, fue a despedirse del rey. Quizá Poniatowski intuía que los polacos eran capaces del suicidio, como lo demostrarían más tarde en la Primera Guerra Mundial, cuando se enfrentaron con sus lanzas y a caballo contra los tanques del enemigo.

Hubo numerosos levantamientos de polacos patriotas contra Estanislao que, bajo la presión popular, se puso del lado de los rebeldes. En 1791 intentó una reforma constitucional. En 1794, cuando Kozciusko dirigió el último levantamiento contra Rusia y Prusia, Estanislao compartió la suerte de los insurgentes. La revuelta fue aplastada y Catalina aceptó su abdicación.

Un año después, en el exilio del palacio lituano de Grodno, Estanislao recibió la noticia de la muerte de Catalina, el jueves 17 de noviembre de 1796. "¡Ah Sofía, me ha hecho usted sufrir de modo cruel. ¿Acaso es posible que otro la ame tan perfectamente, con tal verdad? La amo con un sentimiento imposible de igualar". Su tristeza fue tan honda que Estanislao confirmó que Catalina había sido la única mujer a la que había amado. Tuvo muchas razones para quererla. ¿Cómo no amar a una mujer que declara que apenas ve una pluma le sonríe y la usa hasta que quede totalmente inservible? ¿Cómo no amar a una mujer que se levanta al alba y tiritando de frío se pone a estudiar, con una cobijita sobre sus piernas heladas? ¿Cómo no amar a una mujer que lee, se informa, investiga, analiza y trabaja durante catorce horas diarias? ¿A una mujer que busca la cercanía de Voltaire, Diderot, D'Alembert? Catalina, desde que era adolescente, tuvo una inusitada voluntad de saber. Preparó su futuro con obstinación ejemplar. Como el espejo le devolvía una imagen que no la favorecía se entregó a la reflexión. A los quince años se dijo: "Cuando uno tiene carácter, basta con desear algo ardientemente para obtenerlo". Supo que una mujer puede volverse bella a fuerza de voluntad. La niña Sofía, vestida de mujer antes de tiempo, el cabello polveado, adquirió gracia física y pronto hermoseó el aire de los salones, los bailes, las cacerías, con su inteligencia. Ahora era ella quien escogía. A los poderosos les decía *nyet* con una gracia insuperable. A Estanislao lo quiso por las delicias de su conversación. Lo que muchos hombres buscan en una mujer: el sortilegio cotidiano, el embeleso del espíritu y de la carne, Catalina lo requisó en los hombres. El primero en colmarla fue Estanislao Poniatowski que, dotado de una extrema gentileza, supo hacerle el amor. Asombrosamente vital, Catalina tuvo hijos con casi todos sus amantes y en muchas ocasiones escondió sus embarazos. También fueron varios sus abortos. Algunos hijos e hijas murieron a temprana edad. Pablo I, que era feísimo e imprevisible, vivió. Para resarcir al viejo rey de Polonia, Pablo I lo mandó llamar a San Petersburgo cuando murió Catalina. Sus últimos años estuvieron marcados por la melancolía. En Europa moría una generación de pensadores: primero Rousseau, luego Voltaire. Maurice Glayre, su secretario y gran apoyo, se exilió en Suiza. El rey ya no sabía muy bien qué hacer consigo mismo. Una mañana fue a visitar a su amiga madame Vigée Lebrun, pero como estaba pintando no sólo no lo recibió sino que gritó tan fuerte desde su estudio que él la alcanzó a oír: "No estoy". Esa misma tarde, Elizabeth, contrita, entró al palacio de mármol y le ofreció una disculpa. El rey no le guardaba rencor. La invitó a cenar.

Estanislao falleció en 1798, dos años después de Catalina La Grande. Pablo I quiso honrarlo porque se preciaba de hacer todo lo contrario de lo que hacía su madre. Catalina II había maltratado a Poniatowski, él lo reivindicaría. Además, cuando Pablo I viajó a Polonia, Estanislao le dio una recepción deslumbrante y lo abrazó como si fuera su hijo. Tal vez Pablo I pensó que Estanislao sabía quién era su verdadero padre. En todo caso, nunca olvidó la bienvenida del rey y su heroica Polonia.

El príncipe Estanislao, sobrino del rey, se fue a Italia. Después de todo, de allí provenía. En realidad, la familia Ciolek se llamaba Torelli. Luego, los Ciolek Poniatowski se establecieron en Francia y desde Napoleon III se consideran franceses, aunque Marie-André murió siendo soldado del ejército polaco. José Poniatowski también amó a Polonia apasionadamente y su hostilidad contra Rusia se acendró con los años; todo lo que Rusia podía ofrecerle lo rechazaba con indignación. "Por los rusos ya no hay Polonia, todo terminó". También hacia el servicio militar sentía una pasión desmedida. Para él no había vida sino en la guerra. Cuando Napoleón habló de devolverle a Polonia sus antiguas fronteras, se unió a su ejército, creyendo que Bonaparte ayudaría a cambiar el destino de Polonia, pero Napoleón prefirió hacerlo mariscal de su Grande Armée. Al ser nombrado mariscal de Francia, José respondió al emperador: "Cuando uno tiene el título único y superior de generalísimo de los polacos, ninguno otro podría convenirle. Mi muerte está próxima. Quiero morir como general polaco, no como mariscal de Francia". Irreductible en su ardor patrio, José Poniatowski fue un romántico abierto a la desgracia, furiosamente independiente y capaz de distinguir lo esencial de lo que no lo es.

A diferencia de su fogoso y bien amado sobrino, el rey creía que correr tras la gloria era una tontería. Ir hacia el bien y hacerlo, eso era lo necesario. Se lo escribió a José, a quien llamaba "Pepi": "La gloria vendrá cuando se haga el bien mayor o al menos el menor mal posible". Volvió a advertirle: "El falso brillo del heroísmo mal entendido no me deslumbra".

José Poniatowski prefirió lanzarse a las aguas del río Elster con todo y su montura antes que entregarse al enemigo.

Polonia y tú, Elena

✿✿✿

*E*n 1965 viajé a Polonia. En el avión Lot nos entregaron un panfleto que calificaba al rey Estanislao Augusto de personaje débil y pensé que las autoridades nos recibirían con frialdad. Resultó exactamente lo contrario, a pesar de que a nuestros anfitriones les decepcionó que no habláramos polaco. En el Hotel de Europa, el elevadorista y el chofer nos besaron las manos.

Lo primero que hicimos fue ver una película sobre la ciudad de Varsovia destrozada al grado de que el muro más alto no alcanzaba ni 2.50 metros de altura; una verdadera conmoción. Por eso, al día siguiente, cuando nuestra guía nos llevó a la vieja ciudad de Stary Miasto y vimos la catedral totalmente reconstruida sin olvidar un solo detalle, gracias a los archivos encontrados después de la guerra, nuestra admiración por ese pueblo tan gallardo y tan amoroso de su país no tuvo límites. Sólo el pueblo polaco era capaz de semejante resurrección.

Nuestra admiración fue creciendo; la catedral de Cracovia, Wavel, con sus cúpulas de oro viejo ya verdoso que contiene la tumba del mariscal de Francia, José Poniatowski; la iglesia de Santa María, que dominaba la plaza en la que las puesteras ofrecían sus verduras, frutas y flores; el maravilloso tríptico del último sueño de la Virgen frente a la cual un joven me ofreció sus slotis a cambio de mis dólares, todo ello nos mantuvo en un estado de zozobra permanente. Mi deseo de visitar el santuario de la Virgen de Czestohova en Iasna Gora no pudo realizarse porque el guía nos advirtió que quedaba demasiado lejos. En realidad, creo que no se atrevió a llevarnos porque pertenecía al partido comunista. Esto no impidió que se hincara y rezara con nosotros en todas las iglesias.

Tengo una gran devoción por la Virgen de Czestohova porque en los cincuenta el cardenal Luis María Martínez hizo venir de Polonia para la catedral, a traves de Jerzy Skorina, una pintura de la Virgen. El padre Eugenio Díaz, de Tacámbaro, Michoacán, también quiso recibir la imagen en su iglesia y en 1957 organizamos una peregrinación para llevar la pintura de la Virgen a Tacámbaro el último domingo de octubre, día de la fiesta de Cristo Rey. En mi automóvil conduje a la señora Valentina Aymes, a quien quería yo enormemente (con ella tomé clases de teología impartidas por el padre Brambila), la señora Sofía Merdinguer recién llegada de Polonia, que había dejado su casa de Varsovia ocupada por desconocidos y en la que sólo tenía derecho a una recámara, y el padre José Magier, húngaro, rescatado de un campo de concentración. Veinte kilómetros antes de llegar a Tacámbaro alcanzamos a la Virgen de Czestohova cargada por los fieles. Jamás olvidaré la fiesta nocturna. De lo alto del pueblo bajaron a caballo hombres portadores de antorchas prendidas al grito de "Viva Polonia". En la plaza, un fuego de artificio iluminaba la imagen de la Virgen. Sofía Merdinguer lloraba de alegría. A la mañana siguiente, el padre Eugenio Díaz nos enseñó su iglesia en construcción encima de la llanura como una gran arca abierta al cielo. Al lado, en una casa, la religiosa Francisca Magaña atendía a ochenta niños recogidos por él. En la misa del domingo, precedieron al sacerdote doce hombres llevando grandes cruces blancas en las que estaban escritos con letras negras los nombres de todos los países tras la Cortina de hierro. A partir de entonces, cada año hasta la muerte del padre Eugenio Díaz se organizó esa peregrinación para la fiesta de Cristo Rey. Los fieles eramos Jerzy Skorina y su familia, Stephan y Ana Dobrowolska, mi gran amiga Betka, su marido Henrik, su hijo Voitek Stebelski y la señora Jarnecka. Una semana antes de que el padre muriera tomamos un delicioso desayuno hecho por las monjas en el bosque bajo los pinos. Desde allí, la vista sobre el valle era soberbia. De nuestro grupo, van siempre los Jerzy Skorina.

No sé cuántos polacos de los que vinieron a México en 1942 —gracias a un acuerdo entre el gobierno mexicano y el general Vladislaw Sikorski—, se quedaron. El primer grupo de 706 personas llegó a León en julio y vivió en la hacienda de Santa Rosa. El segundo en noviembre, y entre las 726 personas había 264 niños sin padre y 87 huérfanos. Cuando vino el general Sikorski fui a verlo al Hotel Reforma y me dio buenas noticias acerca de mi sobrino Marie-André Poniatowski, que estaba bajo sus órdenes en el ejército polaco en Escocia. Al despedirme le di una medalla de troquel antiguo de la Virgen de Guadalupe. Tres meses después, el general Sikorski encontró la muerte en un accidente o atentado aéreo.

En Polonia, de Wroclaw fuimos al puerto de Gdansk

(alguna vez Dantzig), en donde contemplamos los barcos mercantiles con su bandera rusa. El mar estaba demasiado frío —15 grados— para bañarnos. El día de Corpus Christi vimos las casas decoradas con emblemas y luces en los balcones: la procesión del Santo Sacramento bajo un palio, precedida por niños vestidos de blanco y niñas coronadas de flores que vertían en el camino pétalos de rosas. No pudimos oír el sermón del obispo porque el gobierno había cortado el sonido. Esas iglesias llenas de fervor popular nos dieron la impresión de que Polonia era más católica que nunca.

De allí nos llevaron a Auschwitz, a visitar el campo de concentración en el que murieron seis millones de hombres, mujeres y niños. Después de ver en los muros las fotografías de las víctimas, las divisiones de madera en las que se apretaban seis personas para dormir, los hornos crematorios y escuchar los relatos, me sentí incapaz de seguir adelante. Recordé que Johnny fue uno de los primeros en entrar al campo de Schirmeck —más tarde Dachau—. Escribió:

Estuve moral y físicamente enfermo. Sabía que a nosotros nos iba mal y me decía, claro está, que teníamos que ganar esta guerra después de la debacle de 1939-1940, pero ¡qué desesperación moral encontrarnos con los internos sobrevivientes condenados de un día al otro a ir a las duchas antes de entrar al horno crematorio!

Vi cuerpos amontonados como leña para quemar.

En Varsovia visitamos el convento de las hermanas de San Vicente de Paul. Sor Bratislava, quien había sido la superiora de San Casimiro en París, y sor Isabel estaban decepcionadas de no poder asistir a un congreso en Roma porque el gobierno polaco rehusó darles la visa.

Era triste la atmósfera de ese país; la gente se quejaba de la falta de alimentos, no había naranjas, observé en la calle una cola para comprar fresas que no estaban frescas. La carne y la fruta se exportaban a Rusia. En el hotel nos alimentamos sobre todo con coles guisadas de mil maneras mientras que una orquesta de tres músicos tocaba viejas y melancólicas tonadas.

Nuestra guía, una preciosa jovencita rubia que hablaba francés, español y alemán, nos llevó al teatro a ver una comedia musical interpretada por jóvenes y bellos artistas. El director de la orquesta se parecía a Jan. Visitamos unas salinas y una fábrica de dulces muy apreciada por nuestra guía. Su alegría estalló cuando le regalamos una caja de chocolates.

La víspera de mi regreso a París pudimos visitar por fin Lazienki, el pequeño palacio del rey Estanislao alejado del centro. Como llegamos tarde, el encargado, a punto de cerrar, cambió de parecer. Dos viejitas aprovecharon para entrar con nosotros. El interior de esta preciosa morada no estaba arreglado a mi gusto. Desde hace mucho, los muebles y los objetos ejercen sobre mí una atracción de personas. En la recámara de tu papá, en Tequisquiapan, me conmueve el antiguo ropero en el que guardé en París mi ropa de recién casada. La caja de cigarros de Mother yace encima de mi mesa y me pregunta el porqué de su larga existencia cuando su dueña ya no existe. Los muebles tienen un alma, una aristocracia, forman parte de una familia. Me siento bien entre mis muebles, sentada ante mi mesa de juego con la perspectiva de la sala frente a mí. Es el minuto de descanso. Por eso me molestó la mala decoración del palacio de Lazienki. Tras del guía me detuve para mirar un cuadro del príncipe Estanislao Poniatowski, sobrino del rey. Las dos viejitas me dijeron en inglés que retrasaba la visita. Irritada les respondí: "Estoy viendo este cuadro porque es una copia del mío..." Estupefactas me preguntaron: "¿Quién es usted?" "Poniatowski, soy Poniatowski". Entonces su expresión regañona cambió por una melosamente amable; un poco más y me besan las manos.

La cultura intelectual y artística fue protegida constantemente por el rey Estanislao Augusto. Fundó la Escuela de los Caballeros y la supervisó personalmente. Construyó y promovió el primer teatro de Polonia. Bajo sus órdenes, arquitectos, pintores, escultores venidos de toda Europa construyeron palacios y embellecieron las residencias de los nobles. Gracias a su interés y su conocimiento de la literatura —él mismo escribía, y muy bien, como lo comprueban sus memorias y su correspondencia— reunió en torno suyo a escritores y poetas de renombre.

Las grandes familias aristocráticas siguieron su ejemplo. Adam Czartoryski recibió en su Palacio Azul de Varsovia a numerosos intelectuales. También le propuso al rey Estanislao Augusto a su hija en matrimonio, pero a éste le pareció fea y la rechazó. Isabel se casó entonces con el príncipe Lubormirski. Propietaria de diecineve castillos, la princesa Isabel Lubomirska alimentó contra el rey un rencor eterno, según el escritor James A. Mitchener. Gracias al mismo Mitchener descubrí que tenía yo el retrato de la desdeñada con las mejillas demasiado rojas (pero nada fea) en mi casa de Tequisquiapan.

Naciste el 19 de mayo de 1932, quince días antes de la fecha prevista, en la clínica de la rue Boileau. Como tu gruesa cabeza no pasaba, el profesor Brindau usó forceps. Antes de dormirme totalmente alcancé a oír a la enfermera:

—Su pulso se está debilitando.

Luego escuché campanas. Recuerdo muy bien que pensé: "Qué lástima que no pueda yo regresar para contar qué agradable es morir".

En la clínica, Johnny tomaba su papel de padre muy en serio. Una vez estornudaste y él tocó el timbre con tal insistencia que la enfermera acudió y quedó estupefacta cuando tu padre le reclamó:

—Mi hija estornuda.

Ya en casa sentí una angustia que duró quince días. Estaba llena de temores por ti. No me sucedió ni con Kitzia ni con Jan. Sólo contigo. Me invadió una terrible aprehensión por tu futuro. ¿Será por eso que te pareces tanto a mí? Un neurólogo estadounidense vino un día a comer. A mis suegros, que ponderaban tu parecido con tu padre, les dijo:

—Es la hija de su madre.

Un día, aún acostada, recibí la visita de Mother, que te tomó en brazos. No sé por qué Johnny tuvo la desafortunada idea de jalar la silla en la que Mother iba a sentarse y ella cayó al suelo. Nunca te soltó y el golpe fue rudo. "*But, Mamma...*" decía Johnny, quien manifestó su rabia dándole puntapiés a la silla. Aunque la pobre Mother no tenía nada roto, debió someterse a una serie de masajes y sesiones quiroprácticas.

Para mi tristeza, quedé sin leche al cabo de un mes y fuiste totalmente alimentada con biberón. Tenías tres meses cuando un día soltaste el chupón y me regalaste una sonrisa tan tierna que no olvidaré nunca. Desde entonces esa sonrisa no ha desaparecido, forma parte de mi ser. Creo que no podría vivir sin ella.

André Poniatowski

a historia dice que los Poniatowski son grandes amorosos. La familia Ciolek-Poniatowski proviene en línea directa de la casa real de Sajonia y se inició con Ludolfo, duque de Sajonia en 843. Hasta esa lejana fecha se remonta el árbol genealógico. Cuenta con personajes como Oda, quien fundó la abadía de Gondersheim en 856, y cuya segunda abadesa fue Hathumoda. Luitgarda (¡qué bonito nombre!) se casó con Luis XII, rey de la Francia oriental, en 876. Pero fue Othón El ilustre y duque de Sajonia en 880, y su esposa Hadwige quienes engendraron a Enrique I El pajarero, un rey a quien siempre he imaginado con la cabeza llena de pájaros, envuelto en alas quebradizas y siguiendo con la mirada la migración de las aves en el cielo. Ese rey pajarero fue el abuelo de Enrique III, El peleonero y duque de Baviera. Enrique El santo, también duque de Baviera, rey de Alemania en 1002 y emperador en 1014, fue canonizado en 1151, así que además de obispos, abadesas, mujeres de letras, mariscales y compositores de ópera, hay un santo en la familia.

Ludolfo II, *Il toro*, fue padre de Federico, *Il torello*, y abuelo de Guido, apodado "Salinguerra"(*Saliens in Guerra*: del colegio de los sacerdotes romanos), que mandó construir la iglesia de Todos Santos en Ferrara. Desde entonces, sus descendientes se llaman "Toro" y "Salinguerra". Salinguerra III, jefe de las ciudades de Bolonia, Imola y Forli, soberano de Ferrara, dio a sus dos hijas, Ana y Margarita, en matrimonio a dos hermanos, Obizzo y Rinaldo Aldobrandini d'Este.

Después de Marsilio El poderoso, Guido II El grande se casó con Orsina Visconti y me gusta pensar que aunque sea en 1418, tuve algo en común con Luchino Visconti, el cineasta cuya casa romana, igualita a la de *Il Gattopardo*, tenía un diminuto elevador para subir de un piso a otro.

Marsilio II, El poderoso, se casó con Paola Secca d'Aragone, mujer de una gran distinción intelectual, y tuvieron a Francesco, quien a su vez se casó con Damitella Trivulcia, una mujer tan notable que hasta Ariosto habla de ella. También su hermana Barbe fue poetisa de altura. Primero se casó con Ercule Bentivoglio y, al enviudar, lo hizo con el príncipe Strozzi, asesinado trece días después de sus nupcias. Barbe entonces se retiró a Parma y no volvió a escribir una sola línea.

Paolo, su hijo, casó en 1531 con Béatrice, hija de Jean François Pic, príncipe de la Mirándola.

Da mucha tristeza leer que las ramas se extinguen, se secan, como en el caso de los señores de Rignano, hijos de los Orsini, príncipes de Salerna, que desaparecieron como las especies no renovables. En Mantua, en Bolonia, en Fano, en Florencia, en Nápoles fenecen las ramas de Bartolomeo y de Loisio, de Alberto y de Giovanni, de Filiberto y de Francesco, quien no tendrá hijos al casarse con Ozanna

Lanfranchi. La rama de Guastalla expira el 28 de octubre de 1526, cuando la hija de Pietro Guido, la condesa Ouise se vuelve monja y funda la orden de las Angélicas y de las Guastalinas de Milán. Si en vez de volverse religiosas las Ozannas, las Galdinas, las Damitellas, las Sybilias hubieran obedecido al impulso primario de ser mujeres y consumirse en el fuego contrario, las especies continuarían floreciendo. A Pomponio, el rey de Polonia Segismundo Augusto lo hará por decreto noble polaco. ¡Y qué bueno para Polonia, tan profundamente religiosa, porque Pomponio tendrá entre otros a Pompilio, quien fue Caballero de Malta a pesar de ser hijo natural.

José Salinguerra Torelli fue el primero en viajar a Polonia, porque hasta entonces todos vivían en Florencia, como le consta a la historiadora Claude Pasteur, que escribió acerca de Estanislao y de José en *El rey y el príncipe: los Poniatowski de Florencia* (1732-1812). En Varsovia, Salinguerra Torelli se casó, en 1629, con Sofía Poniatowska, hija de Alberto Poniatowski y Ana Leczinska. Fue José Salinguerra quien tradujo el nombre de Torelli a su equivalente polaco: Ciolek. El primero en añadir a su nombre patronímico el nombre de la tierra heredada de su madre, Poniatow, es Jean Ciolek Poniatowski.

De Jean Ciolek Poniatowski descienden Francisco, Estanislao y Miguel Jacinto, que fue dominico. Y es a partir de Jean Ciolek y de su matrimonio con Constancia que se unen las familias Poniatowski y Czartoryski. Constancia da a luz a ocho hijos. Uno de ellos, Miguel, arzobispo primado de Polonia. El otro, rey, Estanislao Augusto Poniatowski. Su hermano, el príncipe Andrés, al casarse con Teresa Kinsky concibe al joven fogoso de cabellos negros (a diferencia de los polacos rubios) José Ciolek, principe Poniatowski, devoto de Napoleón, que de grande será mariscal de Francia, odiará al Kremlin con fervor y tendrá hacia los rusos una hostilidad tan grande que lo hará declinar todas las proposiciones imperiales de una Catalina II ya madura, intrigada por ese joven amado por las mujeres, que a ella la rechaza.

Después de Estanislao y José, otro Estanislao Ciolek, escudero de Napoleón III, tiene el privilegio de casarse con Luisa des Comtes le Hon y aparece por fin André Ciolek, príncipe Poniatowski, autor de dos libros: uno de memorias, *De un siglo al otro*, el segundo de pensamientos, *De una idea a la otra*. Daddy, como lo llaman sus hijos, se encierra en su extraordinaria biblioteca, entre sus cuadros de Boldini, de Fantin Latour, de Forain, de Vigier Lebrun, de Daumier, de Leonardo da Vinci, de Angelica Kauffman, de Hondecoëter y otros pintores de la escuela flamenca. El mundo exterior no le hace falta. Amigo personal de Boldini (quien pintó dos retratos de su mujer: uno sentada y de perfil y otro de pie mirando por la ventana) y de ese estadounidense desarraigado que era Whistler cuando vivía en la rue du Bac, André Poniatowski disfrutó del mundo artístico e intelectual de su época. El rey Poniatowski, protector de las artes, mandó traer a Bacciarelli, a Lampi, a Canaletto, a Tommaso Minardi para que embellecieran Varsovia. Construyó los palacios de Lazienki y su biblioteca, el de Natolín, el maravilloso Wablonna y envió a sus hombres de confianza a buscar muebles ingleses, porque tanto los rusos como los polacos desconocían las delicias del mobiliario y dormían en el suelo. Con la misma devoción, el severo André Poniatowski levanta su vida. Así construyó también el Sierra Railway, que tiene mucho qué ver con nuestra línea de ferrocarril Chihuahua al Pacífico. Confiado en el futuro de la hidroeléctrica, en 1897 levantó la cortina de enrocamiento para almacenar el agua y erigir la hidroeléctrica Electra de 27 mil caballos de fuerza que le dio luz a San Francisco y a Oakland, y todavía sigue funcionando. Llegó a ser presidente de la Standard Electric. Se ligó en matrimonio con la familia de banqueros Crocker; André Poniatowski se enamoró de Elizabeth Sperry Crocker.

La llamaba Beth. Sus hijos le decían *Mother*, en inglés. André la trajo de Stockton, California, cerca de San Francisco, y la hizo princesa. ¡Pobrecita! Es muy aburrido ser princesa. Los cuatro hijos eran cariñosos pero nada podían contra la autoridad de su padre. Él dictaba cómo se debía vivir.

André Poniatowski debe haber sido supremamente inteligente, osado y emprendedor para lanzarse a hacer obras públicas en los Estados Unidos, él, que no era estadounidense. Charles, William y Henry Crocker dueños del Crocker National Bank, le tuvieron confianza. André vivió la época dorada cuando el empirismo y hasta la intuición hicieron un formidable aporte a la industria, porque como él lo escribió: "Al estar investigando en esta dirección, en el camino, encontré esto otro".

Fue amigo del general Weygand (de quien se rumora era hijo de la emperatriz Carlota y de un oficial mexicano), de Pierre Louys, el autor de *La mujer y el títere*. Marcel Schwob, que a los 22 años leía sánscrito de corrido, lo visitaba con frecuencia, Georges Courteline también y sobre todo Claude Debussy, de quien conservó varias cartas, igual que hizo con las de Stéphane Mallarmé. La concepción de la música de Mallarmé tuvo, según Poniatowski, una influencia definitiva en la obra de Debussy *Preludio para la siesta de un fauno*. Un día, cuando atravesaban el puente Valvins, en París, Mallarmé le dijo a mi abuelo: "La poesía es un lenguaje de crisis". André Poniatowski fue su amigo cuando Mallarmé era profesor de inglés en el liceo Louis Le Grand y tradujo los cuentos de Edgar Allan Poe. Caminaban mucho uno junto al otro, era su forma de conversar, y Poniatowski iba a comer a su casa en Valvins. Fue Mallarmé quien lo inició en los Conciertos Lamoureux. Una fotografía de Stéphane Mallarmé con una cobijita a cuadros —que no a dados— sobre sus hombros, se veía en un anaquel de su biblioteca.

De las amistades de André Poniatowski, ninguna tan conmovedora como la de Debussy, que le escribía a Nueva York, el viernes 9 de septiembre de 1982: "Estoy decidido a seguirlo en todo y para todo", y le contaba acerca del pequeño oratorio, un poco pagano y un poco místico, que acababa de componer. En Nueva York, André Poniatowski ponderó a Claude Debussy ante el director Anton Seidel y Walter Damrosh, cuya orquesta contaba con el apoyo financiero de Andrew Carnegie. Su idea era que alguno de los Carnegie le asegurara durante dos o tres años la tranquilidad material que le hacía falta en París. Debussy coincidía con André Poniatowski:

Como me lo dice con mucha justicia, mis mejores cosas se deben quizá a la existencia negra que he llevado hasta ahora (...) quizá sea más propicia a la invención que el reblandecimiento de los días despreocupados que la vida segura teje en torno al cerebro como una seda adormecedora.

París se tragaba las fáciles sensiblerías de Gounod, Massenet, Berlioz, Charpentier y rehuía a Debussy, para quien la aceptación de esa música "que sólo sirve para contar bajas anécdotas" era una injuria personal. "¡Ah, pobre música, en qué lodo la arrastra esta gente!". En Europa ninguna orquesta quería tocar obras de Debussy. "No, gracias, vuelva la siguiente temporada". Hasta 1898, en Montecarlo, se tocó por primera vez *El preludio para la siesta de un fauno*, y hasta 1902 *Pelleas y Melisande*. Debussy le escribió a André un jueves de febrero de 1893:

En estos últimos días tuve como consuelo una bella emoción musical. Fue en Saint Gervais, una iglesia en la que un sacerdote inteligente decidió revivir la antigua y tan bella música sagrada. Cantaron la misa de Palestrina únicamente para voces y fue maravillosamente hermoso. A pesar de ser muy severa, esa música es toda blanca y la emoción no se traduce (como se ha hecho después) en gritos, sino en arabescos que se entrecruzan para producir algo único hoy en día: armonías melódicas.

En su carta habla también de una misa de Vitoria, "un primitivo español. Ése sí es el misticismo huraño y ascético que comparte la sencillez de Palestrina".

André Poniatowski transmitió su amor a la música a sus cuatro hijos, Estanislao, Casimiro, Andrés y Juan. También les heredó su profunda elegancia.

Schiaparelli

✿✿✿

*E*l perro Jimmy, celoso, no venía ya a mi recámara. Un día desapareció. Lo buscamos en las calles, pusimos anuncios en los periódicos. Nada.

La nana Lasconjarriat, a quién llamábamos Nounou, vino a cuidarte. Con ella y contigo pasé un mes de verano en Guermantes, no con Proust, sino con la familia Hottinguer. Johnny y Jean Conrad Hottinguer venían todos los fines de semana.

Jugábamos a "asesinos y detectives" en la oscuridad. También a las barajas, a un juego que nos divertía mucho: *Hearts*. Nounou que había cuidado a los niños de madame Mallet, hermana de Blanche Hottinguer, apreciaba mucho el ambiente de la vida en el castillo de Guermantes.

Blanche Hottinguer, nacida Maupous, era una mujer exquisita cuyo encanto repercutía sobre todos nosotros. Su hija Suzanne se le parece. Muy activa, escribió un libro sobre Guermantes y pintó también varios cuadros. Poseemos uno de botellas azules. Después de la muerte de Blanche Hottinguer, en 1951, Suzanne nos envió su fotografía y un mensaje escrito por su madre en 1946 que preveía su muerte y les decía a sus hijos que eran su razón de ser, su alegría y su fuerza, que amaran la paz y evitaran todo lo que la contraría, educaran a sus hijos en el amor de lo bueno, lo bello, lo verdadero y les dieran el ejemplo de la sonrisa e incluso de la buena, gruesa risa que tanto disfrutó.

En septiembre de 1932 habías cumplido cinco meses y Johnny tenía trabajo en Madrid y lo acompañé. Como mis amigos de Hoyos y Fernán Núñez estaban ausentes durante el verano, me di cuenta de que no tenía gran cosa qué hacer. Así que después de haber concebido a Kitzia, tu hermana, preferí regresar sola a París a encontrarte con mamá, con quien te había dejado. En el camino de regreso, me detuve en Biarritz para ver a mis amigos Corcuera, asistí a una cena en el Bar Vasco en donde vi de nuevo a Alec Mdivani acompañado por su mujer, Louise Van Alen. A esa cena también asistió Barbara Hutton que se había enamorado de Alec Mdivani. En el momento de los postres se dirigió a Alec diciéndole: "Por favor, Alec, llévame a casa", pasando por encima de Louise, su esposa, que se quedó en la mesa tragando sus lágrimas.

Esta actitud de Barbara no nos gustó ni a Carmen ni a mí. Por lo visto Alec había olvidado el tiempo en que la llamaba: "mademoiselle Hutton", con acento francés y se burlaba de ella.

No volví a ver a Barbara sino hasta después de la guerra, en México, cuando llegó con su tercer marido Cary Grant. Recibí su visita en la casa de Berlín 6, acompañados de Richard Gully. Barbara me contó que no tenía nada que ponerse porque sus velices no habían llegado. Por lo tanto le envié cinco vestidos míos a su hotel porque teníamos más o menos la misma talla. Cuando le entregaron sus maletas no fue ella, sino Cary Grant quien me dio muy efusivamente las gracias por los vestidos que su mujer no tuvo que usar.

También habría yo de conocer más tarde a otro célebre actor, Errol Flynn, en el 1 2 3, entonces el restaurante de moda. Era guapísimo y me lo presentó Freddy Mac Avoy. Se inclinó para besarme en la boca, pero eché la cabeza hacia atrás. Sorprendido me preguntó:

—¿Es una cuestión de costumbres?

—No —le respondí—, es una cuestión de sentimientos.

El mes de octubre de 1932 contigo en París, en casa de mamá, fue una delicia. Mamá apreciaba tu presencia, llevabas unas gorritas de tul para pegar tu oreja izquierda que te hacían parecer un bebé de los retratos holandeses. Yo me sentía feliz de estar de nuevo con mamá y recuperar un poco mi atmósfera de soltera. Caminar sola y libre por las calles sin pensar en las comidas y las cenas de la rue Berton era un descanso. Iba algunas veces a misa a la iglesia española, rue de la Pompe, a la que pocos concurrían.

Una vez me di cuenta de que un joven que se había confesado al mismo tiempo que yo, me había seguido hasta mi casa. Una vez ahí, me interpeló.

No sé cual sería la expresión de mi rostro cuando protesté:

—Pero señor, los dos acabamos de hacer nuestro acto de contrición.

Su respuesta fue rápida:

—Por eso mismo.

Le expliqué que era casada y que tú, mi niña, me esperabas arriba. Dio la media vuelta y se fue.

En 1933 nos instalamos en un departamento en el 44 quai

de Passy con vista al Sena. La sala era muy grande y tuvimos la mala idea de pintarla de amarillo. Granny vino a visitarnos y comentó: "Viven ustedes en el azufre".

Además, no teníamos cortinas. Sólo un gran sofá tapizado en terciopelo verde-botella. Los muebles eran los mismos que ahora ves en el comedor de Tequisquiapan y mi recámara en México conserva las mismas cortinas que me han seguido en los numerosos cambios de casa. Allí, en el quai de Passy, nació Kitzia, el 23 de junio de 1933; pesaba cuatro kilos. El señor que vino de la alcaldía a constatar si era niña, regresó a mi recámara para felicitarme por haber tenido un bebé tan hermoso. Yo quería ponerle Sofía pero Frances me aconsejó llamarla Kitzia. Según ella quería decir "gato" en polaco. Más que gato, cuando nació parecía un esquimal.

En agosto fuimos Nounou, Kitzia, tú y yo al Mont Banni. Allí, el cura de Limé bautizó a Kitzia. Jean Hottinguer, aunque protestante, fue su padrino, y Lydia, mi hermana, su madrina. Aquí copio un pasaje escrito el 18 de agosto de 1933 en un diario de pastas de cuero rojo:

Esta mañana hice gimnasia sobre el pasto del frente de la casa en traje de baño y con la gorra de Johnny sobre la cabeza para protegerme del sol. Puse la gorra de Johnny sobre la cabeza de Elena, que se la quitaba y se la ponía muchas veces; parecía una segunda pequeña *Kid* rubia.

No he visto jamás una casa con un rostro más humano que la mía con sus dos ojos muy juntos —mi ventana y la de las niñas—; abajo su pequeño porche que avanza como una nariz y de cada lado los ventanales lisos como mejillas, todo ello bajo un techo triangular. Es de veras encantadora.

Por la noche, después de atravesar el bosquecito, se me aparece de golpe iluminada desde su interior como la casa de los cuentos de hadas.

Miro las nubes, lo hago aún, veo a un perro blanco parecido a Kimmy (el perro de Frances) y otras que rebotan y se evaporan como la espuma blanca del mar sobre el azul del cielo.

Recuerdo haber visto toda una mañana las nubes en Lugano cuando era niña. Me divertía descubriéndoles todo tipo de formas y de parecidos. No lamento haber viajado tanto de niña porque los recuerdos que conservo son nítidos. No tenía que pensar sino en lo que veía, mientras que de grande no está uno preparado para recibir únicamente las impresiones de lo que nos rodea. Lo impiden otros pensamientos o las preocupaciones de la vida diaria.

Recuerdo también un paseo en lancha rápida. Me había yo quitado los zapatos y metí los pies en el agua. La lancha iba a toda velocidad y yo sentada en la parte de atrás, mis pies batidos por el agua me dieron la impresión de que el lago era mío.

18 de agosto

En el jardín, esta mañana, Elena tenía puesto un vestido rosa. La tomé en mis brazos bajo el árbol verde tierno y ella, lo dorado de sus cabellos, su estallante frescura, sus ojos azules destacándose sobre las hojas del árbol y todo el verde del jardín, el azul del cielo me conmovieron profundamente.

Atravesé la maleza, los brezos que comienzan a ponerse violetas, pero que esta noche tenían un tono sepia. Comparé mi casa con la de Frances, me gusta más la mía, escondida por los árboles y revelándose de golpe con su prado acogedor. Tiene más misterio, personalidad y encanto.

Al cabo de un año, Johnny decidió que el departamento del quai de Passy era demasiado caro para nosotros. Stan y Aldée nos propusieron un chalet frente a su casa de Garches, que es ahora la casa de Bi y de Irene. En mi tiempo no era una casa muy sólida. Recuerdo que en una visita, Stan me encontró con gripa y una cubeta al pie de la cama que recibía la gotera del techo. Delante de mi ventana había un terreno que descendía hasta el valle de Saint Cloud donde tomaba algunas veces el tren para ir a París, porque solo teníamos un coche que Johnny usaba para ir a su oficina. Stan y Aldée nos invitaban muy seguido a su casa. Aldée (Aldegonde des Comtes de Sainte Aldegonde) salía poco, le gustaba cultivar su jardín, su huerta y poner en su mesa legumbres, frutas y flores.

Durante la guerra, que los obligó a refugiarse en Arcachon, en 1939, fabricó alpargatas para sus hijos y tapizó ella misma sus sillones. Tal vez Kitzia heredó de ella esa facultad. Daddy y mother se quedaban temporadas cada vez más largas en el Midi e insistieron en que volviéramos a vivir a la casa de la rue Berton ahora semivacía. En el jardín de la rue Berton me diste una respuesta sorprendente; tenías tres años.

—Mi niña chiquita —te pregunté—, ¿por qué eres tan rubia y tienes los ojos tan azules?

—Porque el Niño Jesús quiere que sea reina de Polonia.

En otra ocasión estabas enferma en tu camita. Mandé traer a nuestro doctor de familia y con una mirada maliciosa dijiste:

—Sabe usted, doctor, mamá me llevó a ver a otro médico pero me recomendó que no se lo dijera. El doctor se puso colorado y yo me apené mucho porque en efecto quise que te viera un especialista. Creo que más tarde, en varias ocasiones has provocado la misma reacción en las personas que entrevistas, por tus preguntas directas e impertinentes y tu absoluta franqueza. Kitzia era distinta. Su carácter fuerte y decidido se manifestaba cuando estaba enferma, sobre todo por su total rechazo al termómetro. Daddy había descubierto su gracia natural y le enseñó a hacer la reverencia "son-ri-endo". Muy niña, la llevé al curso de ballet de la famosa Preboajenska; siempre estuve convencida de su talento, así que en México se la presenté a Lichin, quien nos alentó y recomendó al maestro de ballet Sergio Unger. Pero este último era fantasioso y acudía a dar su clase cuando se le antojaba. Para obtener la técnica suficiente era indispensable un trabajo muy serio y sobre todo constante.

A una cena antes de la guerra, en casa de los Chambrun Bonny y Josée Laval, asistía también la dueña de la revista *Life*, Claire Booth Luce, quien se divirtió leyéndonos las líneas de la mano; me impresionó que al ver la mía dijera:

—Se hubiera usted realizado como bailarina.

A Ruth Dubonnet y a su marido André les anunció su próximo divorcio. De regreso a casa, Ruth desató su furia contra Claire por haberle dicho eso. Sin embargo, la predicción de Claire Booth Luce se cumplió poco tiempo después.

Sí, me gustaba ver a Kitzia bailar. Traspasaba la música con una elegancia y un fervor extraordinarios. Y también tenía vis cómica. El ballet hubiera sido un excelente desahogo para su temperamento y su gracia, pero prefirió el matrimonio y la maternidad.

Billy Fiske iba algunas veces a París donde sus padres tenían un departamento. La primera vez me dio cita en el Tea Caddy cerca del Sena. Ese salón de té nos gustaba particularmente a mamá y a mí y en el nos encontrábamos a veces. Por encima de su taza de té Billy me dijo:

—Lo que me hiciste fue peor que matarme.

Mis ojos se llenaron de lágrimas. No pude responderle. Me miró con dureza.

—Lloras con facilidad.

En 1933 Billy me presentó a Denise Tual, una cineasta que me consiguió un puesto de "voluntaria" en el Musée de l'homme. Debía clasificar una colección de pequeños objetos precolombinos. Seguí los cursos de Paul Rivet y conocí a Jacques Soustelles que en esa época era comunista. Miró con mal ojo mi insignia de los *volontaires nationaux*.

André, el hermano de Johnny, era *Croix de feu* y muy amigo del duque Pozzo di Borgo. Fue por él que Johnny se enroló en los *volontaires nationaux*. No recuerdo cuántas veces servimos comidas a los obreros que no se quitaban su gorra y mantenían la punta de su cuchillo hacia arriba dentro de su puño cerrado.

A Cesarino, de visita en el Hotel Crillon le tocó la manifestación del 6 de febrero de 1934, en la Place de la Concorde. Salió a la terraza para ver el motín y una recámarera, que tuvo la misma curiosidad, cayó a su lado con una bala en la cabeza. Tres días más tarde moriría. Hubo en total diecisiete muertos.

El *affaire* Stavisky encendió la mecha. Antes hubo otros fraudes, la estafa de la señora Hanau, la del banquero Oustric. Algunos miembros del gobierno habían protegido a

Stavisky y a su mujer, que era muy bella, ex modelo, elegante, sus joyas deslumbrantes hacían que todos volvieran la cabeza para verla. Vivía en el Hotel Claridge, en los Champs Elysées. Acorralado por la policía, "el bello Alexandre", como lo llamaban, se suicidó en una Villa de Chamonix. Los franceses estaban hartos de los gobiernos que caían como castillos de naipes. Todas las ligas se pusieron de acuerdo para reunirse ese día en la Place de la Concorde, los *Anciens combattants*, los *Croix de feu*, la *Action française*, los *Camelots du roi*, *Jeunesses patriotes*, *Solidarité française*, los comunistas, todos convergieron, algunos por los Champs Elysées, otros por la rue Royale y la rue de Rivoli y al grito de: "¡Abajo los ladrones!" intentaron tomar el Palais Bourbon, pero no pudieron pasar la barrera de la policía en el puente. Daladier, que se presentaba en la Cámara para pedir confianza, renunció al día siguiente por culpa de este motín. La refriega fue grande. A Edouard Herriot lo reconoció un grupo de *Croix de feu* en el que se mezclaron *Camelots du roi*. Como querían aventarlo al Sena, Herriot los desafió con una de sus puntadas diciéndoles que un alcalde de Lyon sólo podía beber el agua del Rhône.

Un pelotón de guardias móviles salvó la vida del hombre de Estado.

Al día siguiente, la pobre Place de la Concorde sólo tenía concordia en su nombre. Un autobús ardía, los faroles habían sido arrancados y las rejillas protectoras en torno a los árboles también. Mi hermana Lydia regresó consternada después de verla.

Francia se debilitaba cada vez más frente a una Alemania que ganaba en fuerza. Pero ¿qué sabíamos nosotros de los asesinatos de Hitler?: la purga de su amigo Roehm muerto en su celda; la noche del 30 de junio 1934; las ejecuciones de los SSA, en total setenta y siete personas fueron denunciadas por Hitler en persona.

Otro asesinato merece ser mencionado. A las 7:20 de la noche del 30 de junio, el doctor Willi Schmidt, eminente crítico de música, tocaba cello en su estudio mientras su mujer preparaba la cena y sus tres niños de nueve, ocho y dos años jugaban en la sala de su departamento en Munich. El timbre de la puerta sonó, cuatro hombres de la SS aparecieron y sin explicación se llevaron al doctor Schmidt. Cuatro días más tarde, su cadáver fue devuelto en un ataúd con orden de la Gestapo de no abrirlo bajo ninguna circunstancia. Los SS habían confundido al doctor Willi Schmidt que no había participado nunca en política con Willi Schmidt, un dirigente local de los SA que había sido arrestado al mismo tiempo por otro destacamento y fusilado.

Mi amiga Ingeborg Schürch, casada con el banquero judío alemán Hans Seligmann, dejó Alemania en 1933 o 1934 debido a la incipiente persecución a los judíos. Me pregunto cómo era posible que ignoráramos estos acontecimientos siniestros. Al contrario, nuestra admiración por Chamberlain y su eterno paraguas no tenía límites y cuando él y Daladier firmaron, en 1938, el acuerdo de Munich, Bichette se dispuso a enviarle un telegrama de felicitaciones. En nuestra inocencia, creíamos que esa paz podría durar mucho tiempo. Seguramente, personas mejor informadas que nosotras dudaban de esa paz, pero entonces, ¿por qué haberla firmado y por qué haberle dado a Alemania la oportunidad de armarse aún más?

El mundo temía a Hitler y a sus bombardeos que podían destruir Londres y París.

En 1934, durante una estancia en Arcachon en casa de Guy y Gladys de Polignac, me llegó un telegrama anunciándome que mi primo hermano Bobby de Villeneuve había muerto en un accidente de montaña. Al escalar la Dent du Midi, se quitó la cuerda en torno a la cintura para descansar y una piedra que cayó desde lo más alto, lo alcanzó y con ella rodó al abismo. La trepanación fue inútil. Llegué a tiempo para el entierro que no fue entierro, porque a Bobby nunca lo pusieron bajo tierra. No pude ver su rostro rodeado de vendas que le daba el aspecto de un caballero bajo su casco. Al fondo del parque del castillo de Bougarber hay un chalet redondo en cuyo piso inferior en otros tiempos se batía la mantequilla; allí se levantó una capilla. No sé cómo Auntie Geis, que tampoco quiso enterrar a su madre, obtuvo el permiso de poner en alto el ataúd de Granny y más tarde el de Bobby.

Los dos ataúdes siguen el uno junto al otro.

Al seguir el ataúd le pregunté a François le Bleu qué iba a pasarle a Philippe, el hermano de Bobby, y me dio esta sorprendente respuesta:

—¿Philippe? Tiene a su madre.

La siguiente noche me despertaron los aullidos de Auntie Geis. No quería ver a François, solamente Philippe podía calmarla.

Bobby era muy religioso, la víspera comulgó y, cosa extraña, por primera vez entregó las llaves de la propiedad a Philippe, y como éste le preguntó por qué lo hacía, le respondió; "Es en caso de que me pase lo mismo que a ese pobre Du Bosq...", un alpinista muerto tres semanas antes.

En febrero de 1936 fuimos a esquiar con Odette Pol Roger a Sestrières, Italia. "Esquiar" es un decir, porque yo jamás había esquiado. Además, apenas llegamos, Gladys de Polignac se dislocó una pierna. La acompañé a la sala de operación en la que, sin anestesia, el medico jaló su pierna para volverla a su lugar. Gladys hacía muecas de dolor pero no dejó escapar un solo grito. Buena esquiadora, ése no era su primer accidente, así que nos divirtió a todos un telegrama de Jacques de la Béraudiere: "Querida Gladys, te felicito por no ser ciempiés".

Mis cuñados Anne y Cash también vacacionaban en Sestrières. De Saint Moritz vinieron el inglés Mouse Cleaver y Billy Fiske que acababa de ganar la copa del Campeonato del Mundo de Bobsley. Al esquiar, Mouse Cleaver parecía un pájaro. Todos lo hacían muy bien, salvo yo, que no me sentía segura y menos al subirme en el funicular ante la perspectiva de mi primer descenso. A medio camino nos deteníamos en cabañas llenas de gente, de alegría, de bebidas calientes. Para mí, no hay mejor atmósfera de vacaciones que la de los deportes de invierno.

En el mes de mayo, el armador André Embiricos nos invitó a un crucero por Grecia sobre su soberbio velero, "L'Esperos". En esa época, para llegar a Atenas se necesitaban dos noches y tres días de tren. Mi compañera era Isabelle de la Moussaye. Por cortesía le cedí la litera de abajo, mientras yo dormía mal en la de arriba. Sólo al regreso me confió que ella prefería la de arriba. En otro compartimento venían Guy y Gladys, y un joven, amigo de Isabelle, Jean de Hollin. Una vez en Atenas nos anunció que un telegrama urgente lo llamaba de vuelta a París. Isabelle pretendió que él mismo se lo había enviado. Isabelle era erudita. En el tren me recitó un poema. Ante mi poca reacción me preguntó si había leído el *Corán*. "No". No se me había ocurrido leer el *Corán*.

—Entonces no puedes comprenderlo.

El interés principal de su viaje a Grecia era visitar la tumba de su héroe, el duque de Beaufort, sobre quien escribía un libro. En Cnossos tuvo la dicha de poder cubrir su tumba de flores. Para nuestra diversión, Isabelle había recogido esas flores al pie de los falos de piedra regados por la isla.

Nacida de Broglie, era una aristócrata hasta la punta de las uñas. Daisy Fellows, su madre, era una mujer muy bella y elegante que daba grandes recepciones. Colette habla mucho de ella en sus libros. Le hacíamos bromas acerca de Beaufort, su héroe de *La Fronde*, de quien decíamos que era su amante. Lo cual no le impidió enamorarse de nuestro anfitrión. Lo llamaba "Mi sol."

De regreso a Atenas, Guy y Gladys se fueron a París, Isabelle y yo nos quedamos en Atenas para visitar la Acrópolis y los museos. En el Hôtel d'Angleterre la encontré una mañana dormida con un lirio sobre su almohada al lado de su rostro. Empezaba a inquietarme porque ya no quería regresar a París. La carretera de Atenas a Delfos me recordó el paisaje mexicano. Águilas negras sobrevolaban el camino. André Embiricos y su primo Marakis contaron que esas águilas podrían ser peligrosas y que una vez habían atacado a un hombre en su automóvil. En el hotel de Delfos, un terremoto me despertó a las siete de la mañana. Corrí a la recámara de Isabelle; estaba vacía, pensé en buscarla en el teatro de Delfos que habíamos visitado la víspera. Sobre la piedra más alta, la encontré sentada con la misma actitud del pensador de Rodin.

—Isabelle, Isabelle ¿qué haces allí?

—¡Debería de haberme tirado desde lo alto de estas piedras porque he llegado al día más bello de mi vida!

Ahora tengo un sentimiento de frustración al no recordar exactamente sus palabras, que eran bellas y que yo sentía auténticas a pesar del espanto que me causaron. Contrariamente al destino de Robert de Villeneuve, ninguna piedra cayó del cielo para precipitarla en el vacío.

En París, Isabelle venía a mi casa sin avisar y si no me encontraba, esperaba girando en redondo en el jardín recitándose poemas. Tenía el don de sacar de quicio a Johnny.

Mucho tiempo después supe que había muerto.

En 1936, gracias a Bichette, que conocía bien el mundo de la costura, entré como vendedora a Schiaparelli, con la ventaja de que me vestirían, tentación enorme porque me daba tristeza no tener nada que ponerme —expresión muy socorrida entre las parisinas— y me encantaba con los vestidos bonitos.

Al principio, escogí todo lo que quise de la colección, pero no por mucho tiempo, porque una noche que invité a cenar a Elsa Schiaparelli ella se sobresaltó cuando abrí la puerta y vio que las dos llevábamos el mismo vestido. Dio la orden de que siempre escogiera después de ella, lo cual restringió considerablemente mi guardarropa.

Mis suegros me habían pedido:

—No digas que eres vendedora.

—No vas a aguantar ni un mes —me desafió Johnny.

Creo que si aguanté fue por el reto de mi marido.

Un día me armé de valor y entré al despacho de Elsa

Schiaparelli a pedirle que me diera el puesto de Evelyn Hart, que dejaba "Schiap" para casarse con un estadounidense. Con una sonrisa, Elsa dijo que sí. Mi puesto ahora era de relaciones públicas. En 1941 volvería a ver a Evelyn Hart en Lord and Taylor en Nueva York. Con mucha gentileza me condujo a través de la tienda y escogió para mí un conjunto mixto. La casa "Schiap" se componía de ochenta personas, costureras, sastres, vendedoras, modelos. De ellas sólo una tenía un hijo, Odette, mi "segunda". Me contaba que su vida y la de su marido, llena de trabajo, no les daba la posibilidad de tener otro hijo. En efecto, Francia se despoblaba, lo cual explica los esfuerzos del mariscal Petain en favor de la procreación.

Cuando tú y Kitzia vinieron de visita a "Schiap", más de veinte vendedoras las rodearon y les regalaron todos los retazos de tela habidos y por haber para sus muñecas. En "Schiap" conocí a los príncipes Naryschkin que se habían vuelto peleteros. Vivían en un departamento sin muebles en la Rive Gauche sobre el Sena frente al quai de Passy. Otra princesa rusa de cabellos blancos, Sonia, trabajaba como vendedora y una linda modelo se llamaba Marina Tatischeff, dos nombres imperiales: Naryschkin y Tatischeff. Admiraba yo a los rusos por su valentía.

Entre mis clientes tenía a dos personalidades, la condesa Zuboff y la condesa Arrivabene, la madre de Moreschina y Opprandina, argentina de nacimiento, muy elegantes, cada una en su estilo. Las dos hermanas tenían siempre miedo de escoger el mismo vestido. Se volvieron verdaderas amigas mías.

Una vez Rixie Zuboff nos invitó a una comida al Ritz. Los otros invitados eran la bella señora Martínez de Hoz y su esposo, el conde Zuboff, y el conde Orloff. Con Johnny, los tres descendientes de los amantes de Catalina La Grande de Rusia coincidieron en torno a la mesa.

Mi vecino a la izquierda en la comida del Ritz era un conde ruso cuyo nombre no recuerdo. En el momento del postre —fresas con crema, consideradas un gran lujo—, inquirió si había yo llegado bien a mi casa la noche anterior. Sorprendida le pregunté por qué:

—Porque soy yo el que la llevé.

—No es posible, debe usted confundirme con otra persona.

—Claro que no, usted vive en el 15 de la rue Berton y me dio cinco francos de propina.

Era chofer de taxi.

La colección de Elsa Schiaparelli atraía a todo París y a los compradores extranjeros. Gracias a su talento y a la originalidad de su casa, el gusto al escoger sus coloridos y sus telas, Schiaparelli llevaba la voz cantante en la moda en los treinta, al igual que Chanel. En los cincuenta, después de la Segunda Guerra Mundial, tocaría su turno a Christian Dior, que antes había sido dibujante en la casa Lucien Lelong. Mi amiga Carmen Corcuera dirigiría su boutique entre los espejos de la avenida Montaigne y Dior lanzaría el *New Look* en 1947. Pero en ese año de 1935 era Schiaparelli la que dominaba. Amiga de los diseñadores de renombre, atraía a un público diverso. Gala, la mujer de Salvador Dalí, llevaba un traje sastre negro con cajones dibujados encima y un zapato de fieltro en vez de sombrero... y no se veía ridícula, por el contrario, tenía mucho *chic*.

En una exposición de Salvador Dalí me detuve a contemplar un precioso paisaje de mar y de playa que me encantó por su atmósfera de eternidad y al mismo tiempo me disgustó porque al frente, Dalí había puesto, en primer plano, un teléfono y unos huevos estrellados. Dalí, que en esa época era sólo un joven artista sin la menor extravagancia, se encontraba a mi lado. No pude dejar de decirle mi pensamiento, entonces me explicó que detestaba el teléfono, los huevos al plato y los caracoles, todo lo viscoso. Para liberarse de sus obsesiones y de sus pesadillas las pintaba en el lienzo. Le dije a mi vez que, por lo contrario, amaba yo los caracoles, sus cuernitos levantados como las orejas de un pastor alemán, su baba que les ayuda a deslizarse y a cargar su pesada casa. Siempre me dieron la impresión de una gran valentía y nunca he podido comerlos. Dalí me escuchó sin comentarios.

Una tarde, en el momento en que se iniciaba el desfile de la colección, Marlene Dietrich irrumpió en el salón pretendiendo ser maniquí. Nos divirtió a todos, sobre todo a los dos señores que la acompañaban y la seguían totalmente embelesados. Marie-Louise, la probadora principal, la adoraba.

Para mí, la más bella era Dolores del Río. Sus manos, sus pies, su talle, su piel y su colorido formaban un conjunto perfecto. Entre mis amigas que venían a "Schiap" a comprarse vestidos se contaban mi cuñada Frances Lawrence, Gladys de Polignac y Antoinette de Günsbourg. Carmen Corcuera también se vestía en "Schiap" gracias a la habilidad de Pierre Colle, que le conseguía precios especiales. También obtuve descuentos para Eve Curie, que era muy hermosa, y para una joven brasileña muy de moda durante esa estación en París que se llamaba Aimée Lopes. Siempre llegaba tarde a su prueba y apenas si le daba tiempo de entrar y salir de su vestido porque volaba a sus clases de "literatoura" francesa, porque como decía: "*Je souis très ignorante*".

Como Elsa Schiaparelli me había responsabilizado de

organizar una cuadrilla para una cena de gala en la Torre Eiffel, le aparté a Aimée Lópes un bellísimo vestido negro con rayas rosas, *shocking*; cuando vino a probárselo no debió gustarle porque me dijo:

—Déle usted ese vestido a otra persona y yo vendré a verlas y a aplaudirlas.

Me dio coraje y respondí:

—Sabes muy bien, Aimée, que es demasiado tarde para encontrar quien te reemplace, por lo tanto no habrá cuadrilla, pero yo te digo "mierda".

Entonces ella se hizo chiquita, guardó silencio y el día anunciado bailó en lo alto de la Torre Eiffel con su vestido rosa y negro y su sombrero de plumas de los mismos colores. Esos sombreros de plumas eran tan altos que había que doblarse en tres para poder entrar a un automóvil. Los vestidos que llevaban Diane Mulstein, nacida de Rotschild, Lolotte Fabre Luce, Bubbles Fould Propper y Madeleine de Tinan estaban cortados en telas acariciadoras y tornasoladas y llevaban ligeros *poufs* sobre las caderas. Mi vestido era de satín negro y tenía en la parte baja una franja impresa de flores rosas y azules, y en mi inmenso sombrero plumas azules y rosas hacían juego con el vestido. Como llegué tarde tuve que trepar sobre mis altos tacones de Perugia por la escalinata hasta el primer piso de la Torre Eiffel.

Mi compañero de baile era Charles de Grammont. Bailamos sobre un estrado y las mesas de los comensales nos rodeaban. Jacques de la Beraudière, con un entusisamo que todavía recuerdo, vino a felicitarme por haber bailado con tanta gracia.

En julio de 1938, los Larivière y Charley Béistegui me invitaron a un viaje sobre el crucero "Cyprus". Vi Florencia y el Arno, Nápoles, que había yo soñado en tiempos de

Antonio, porque me había dicho: "Ver Nápoles y morir". Después Capri, Yugoslavia, Split o Dubrovnic, la maravillosa isla de Korcula. Fue un viaje muy bello, pero al llegar a Venecia recibí un telegrama de Johnny a quien creía yo en Porquerolles, diciéndome que estaba enfermo en París. Regresé en el primer avión y lo encontré en el fondo de su cama con una extraña enfermedad que le paralizaba las piernas y lo había cubierto de ronchas. Según su costumbre, Johnny se impacientaba. Su médico de cabecera me divirtió preguntándome si Johnny era siempre tan ardiente. Por fin, mi marido pudo viajar a Porquerolles con las Pol Roger y Carmen Corcuera, y alcanzarlas a ustedes, Elena, que estaban también allá de vacaciones con su institutriz.

La guerra

❦❦❦

A través de las pruebas de vestidos conocí mejor a Eve Curie. Era muy bella y destacaba mucho en el mundo de la época, "Schiap" le hacía precios especiales. Johnny la quería bien. Una vez la invitó a un concierto de Rubinstein. Ella misma era excelente pianista, y me dio su opinión sobre mi esposo diciéndome:

—Es una verdadera persona.

Cuando Johnny quiso invitarla a un segundo concierto, Henri Bernstein, el autor teatral de moda y a quien el éxito había vuelto cada vez más posesivo, vino al teléfono y le dijo:

—Una vez no hace costumbre.

Eve Curie no sabía cómo zafarse de la angustiosa tutela de Bernstein.

Una noche que lo acompañamos a su casa, Henri nos declaró:

—Muy pronto estaremos en guerra.

La guerra liberó a Eve de Henri Bernstein. Ella tomó parte

importante en la resistencia; viajó a Nueva York a dar conferencias para pedir a los estadounidenses que no enviaran provisiones a Francia porque las acaparaban los alemanes.

No supe nada más de ella salvo que se casó con un diplomático estadounidense que fue embajador en Grecia. Tengo en mi biblioteca el bellísimo libro que escribió sobre su madre Marie Curie y que nos dedicó a Johnny y a mí.

Durante el mes de agosto permanecí sola en París porque era el momento de las colecciones de invierno y Elsa me pidió que no le fuera a fallar. Las modelos desfilaban frente a los futuros compradores y "Schiap" se convertía en una caldera en ebullición.

Un fin de semana decidí ir a Varengeville a conocer la tumba de mi padre. Algunos días antes, Albert X. me había invitado a comer. Insistió mucho en llevarme porque Varengeville, en Normandía, le quedaba de camino a Inglaterra. Me dejé persuadir y ¡fuímonos! Para mi sorpresa, Albert X había reservado cuartos en un hotel de Êtretat, cerrado por el verano y cuyos muebles estaban cubiertos de fundas. Por precaución me encerré con llave. Escuché rasguños en la puerta y la voz de Albert pidiéndome que le abriera. Le grité que estaba en la tina.

—Las damas del siglo XVII recibían en su tina.

—Pero yo no soy una señora del siglo XVII.

Fuera de las fundas en los sillones, el hotel era bonito y arreglado con mucho gusto. Mi recámara, encantadora. Dormí muy bien. Sin más incidentes, Albert X me llevó a Varengeville de donde salió hacia Inglaterra. De allá me envió a París un frasco de miel para que aprendiera yo la dulzura.

En el cementerio, la tumba de mi padre dominaba el acantilado. Las tumbas rodeaban una iglesia preciosa. No se podría haber soñado un sitio más bello para dormir. Después del cementerio, busqué también la villa de los Amor en Normandía. Un jardinero, a quien me dirigí, recordaba muy bien a la familia Amor, pero no pudo ayudarme a encontrar su casa.

De regreso a París tuve otra mala aventura con Albert. Me invitó a una casa de té en la glorieta de Champs Elysées para llevarme después con un famoso grafólogo. Quería que me leyera el carácter.

Al llegar, vi que Albert metía una llave en la cerradura. Furiosa, bajé corriendo la escalera. Me siguió. Lo amenacé con mi paraguas. Fue el fin de nuestras entrevistas, pero no de nuestra amistad porque otros acontecimientos más graves iban a suplantar a coqueteos y lances amorosos.

Con mucha razón los parisinos llamaron a aquel verano: "El baile sobre el volcán", porque a pesar de que la guerra se acercaba a grandes pasos de botas alemanas, muchos bailes y recepciones se celebraron en los hoteles particulares y en los castillos. Recuerdo sobre todo uno espléndido en Versalles, en casa de lord y lady Mandl, y una comida en la casa de campo de Henri Bernstein a la que asistió el ministro Georges Bonnet y en la que sólo se habló de los lugares en la mesa, el tema más socorrido de ese último verano en París. Elsa Schiaparelli me había escrito. "París es demasiado mundano. Cansa." ¿Era la nuestra una evasión despavorida de la realidad, un deseo de aturdirse para no verla?

Después de haber dejado sola a Polonia, las dos grandes potencias: Francia e Inglaterra por fin le declararon la guerra a Alemania, el 3 de septiembre 1939. Más tarde supe que el embajador de Polonia, Jules Lukasievicz en una entrevista tormentosa con Daladier le comunicó que le quedaban dos horas para salvar el honor de Francia.

Johnny fue movilizado en la 3a. División Ligera de Caballería. Me había citado a las cinco de la mañana sobre el Pont de la Concorde para verlo pasar con su regimiento. En el interior de mi automóvil, esperé en vano. Más tarde me dijo que la 3a. División había tomado otro camino.

En agosto las llevé a ti y a Kitzia a Vouvray, al Clos Beaudoin. Temía por mis hijas. No quería que estuvieran en París. La *nounou* Lasconjarriat regresó a su casa. Ella misma se dio cuenta que ya no podía con ustedes; la cansaban demasiado; todas las mañanas Johnny y yo escuchábamos sus gritos de protesta.

Eran muy, muy traviesas. Una vez provocaron una inundación en el baño porque querían hacer el mar; otra, se dieron un champú de engrudo y por poco y pierden el pelo. Kitzia, particularmente, era a tal grado berrinchuda que casi se asfixiaba de coraje, su rostro pasaba del rojo al violeta.

A la *nounou* la reemplazó mademoiselle Garach quien vino con nosotras a Vouvray. Joaquín Cortina también nos acompañaba. Por desgracia escogió esa mala época para viajar de México a Europa. En Vouvray sólo permaneció cuatro días, pero como tomaba una medicina para el hígado después del desayuno, se acostaba del lado derecho sobre el canapé de nuestra sala para que le hiciera efecto. Una vez en Speranza, en plena mesa, tú y Kitzia, con sus vocecitas claras contaron a sus abuelos de "ese amigo de mamá que se acuesta sobre el lado derecho después del desayuno". Me sentí apenada al dar una explicación embarazosa acerca del mexicano Joaquín Cortina a mis suegros que ignoraban por completo su existencia.

De Vouvray, Joaquín fue a Vichy y luego a Berlín. En la frontera le quitaron su *Figaro* y su *Canard Enchainé*.

La casa del Clos Beaudoin se recargaba sobre las rocas como casi todas las de Touraine a la orilla del río Loire. Tenía dos pisos y el último desembocaba por una puertecita oval directamente sobre los viñedos. Mandé poner un calentador de leña junto a la escalera, pero no bastaba para eliminar la humedad causada por las cavas y el clima lluvioso. Por eso, mi pequeña Elena, estabas constantemente enferma de la garganta. Una noche desperté alarmada al doctor del pueblo porque tenías 41 grados de fiebre. El médico era un hombre muy bueno y me aconsejó llevarlas lo más pronto posible al Midi. Mademoiselle Garach, que ejercía gran influencia sobre ti y con quien estudiabas muy bien, me anunció que iba a dejarnos para casarse con un médico.

Nuestra cocinera inglesa Violette (que daba pasos de baile en la sala de la rue Berton porque había hecho cine con Milton, un actor cómico) también nos dejó. Conoció a unos aviadores que se entrenaban en los alrededores de Vouvray, lo cual escandalizó a Rachel, nuestra valiente portera, y por culpa de ellos, no quiso acompañarnos al Midi.

Sobre el Loire vivía Francis Poulenc que nos invitó a conocer su casa y a comer con él. Su casa en Noisy se parecía a la nuestra, igual de acogedora y de bien pensada. Se sentó al piano y tocó sus *Tres movimientos perpetuos* y después les dedicó a ustedes, mis hijas, la partitura de un pequeño vals: "A mis gentiles vecinas de Touraine". Fue encantador y tierno con ustedes, sobre todo contigo, porque percibió tu emoción de siete años o quizá porque adivinó cuánto iba a fascinarte la música.

Canjeamos Vouvray por Spéranza, pero antes quiero copiar lo que escribí en mi diario, el 7 de noviembre 1939:

Una bella tarde. Delante de mi ventana, el tilo se me apareció todo de oro como un cáliz. Tanta belleza, tanto calor y en mi alma no hay claridad. Angustia, sólo angustia. Dios mío, ¿cuando me darás paz?

Cuando tenía diecisiete años hice una oración pidiéndole a Dios el sufrimiento porque era yo tan feliz. Acabo de hacerle una oración a Dios desdiciéndome, rogándole que me quite este sufrimiento. Dios, dame un poco de felicidad humana antes de llegar a vieja. Por favor Dios mío, quítame este cáliz.

En Speranza, Kitzia y tú fueron a una escuela del Cannet, una punta sobre el mar, muy poco tiempo, debido al racionamiento de la gasolina. Daddy decidió que él les iba a enseñar. Muy pronto desistió de darle clases a Kitzia y siguió sólo contigo, pero sus lecciones te hacían sufrir porque le tenías miedo. Eso me preocupaba y en París contraté a una institutriz polaca para el gran desagrado de mi suegro.

El invierno fue crudo, la nieve cayó hasta en el Midi. Las hojas verdes de los naranjos se cubrieron de una espesa capa de nieve, el efecto era perturbador. Por una carretera cubierta de hielo logré regresar a París. Se reventó mi parabrisas y tuve que manejar con la nieve en la cara. Permanecí en la rue Berton tres días y recibí la visita de Cash vestido de militar, que se quejó amargamente de la guerra que lo separaba de su mujer y de sus hijos. Ante su desesperación me sentí tan desamparada como él. Johnny estaba en el norte, no sabía bien dónde. Me instalé en casa de Bichette, 3 rue Casimir Périer, y me enrolé en la Section Sanitaire Automobile Femenine SSA que pertenecía a la Cruz Roja. En tres meses tuve que presentar tres exámenes: el primero de mecánica, el segundo como auxiliar médica y el tercero de topografía y orientación. Había escrito a mi amiga Rixie Zuboff, quien tuvo la generosidad de enviarme una suma redonda para comprar una camioneta Matford que podía servir también como ambulancia. Me levantaba a las seis de la mañana y como no había calefacción, enfundada en mi abrigo de *skons* que también me servía de cobija, iba a la cocina a hacerme el desayuno. Mi curso de mecánica estaba en Asnières, salía al alba, desolada de dejar a Bichette enrollada en sus chales de lana, escribiendo a máquina con dedos en los que los sabañones le recordaban la guerra de 1914.

A medida que amanecía recuperaba mi interés por la vida. Pasé mi examen de mecánica con 10, primera *ex quo*, sin duda con un sentimiento de orgullo, hoy de asombro y de impotencia ante un motor, porque todo se me ha olvidado. Estudiaba todos los días hasta la medianoche porque ya no tenía la facilidad de la infancia para memorizar. En mi examen de auxiliar médica, que pasé el 4 de abril de 1940, obtuve la mención *Trés bien* con 49 puntos sobre 50, casi perfecto. El de topografía y orientación fue menos brillante.

Una de mis primeras misiones consistió en llevar a la duquesa de Duras, presidenta de la Cruz Roja, a una inspección de los *Foyers du soldat*, Hogares del soldado, en Alsacia. El recorrido fue de 1 350 kilómetros. Claro, transportamos alimentos. Recuerdo sobre todo una visita a su hijo, destacado al borde del Rin en donde parecía aburrirse mucho. Era *la drôle de guerre*. Desde cada orilla, franceses y alemanes se miraban sin disparar un solo tiro. Mis ojos han conservado el recuerdo maravillado de la belleza de Alsacia y mi paladar el de una *quiche* y una cerveza deliciosas degustadas en Colmar.

Mis misiones se volvieron más interesantes. Una noche fui despertada para llevar sangre a un hospital de Verdun.

En el camino, mi Peugeot se descompuso. Gracias a mis conocimientos recién adquiridos pude repararlo con la aprobación del soldado que me acompañaba:

—Usted sí que sabe mucho de mecánica —me dijo.

Conducir en la noche oscura sin encender los faros no es fácil. A veces se frena creyendo ver obstáculos imaginarios. Pertenecíamos al equipo 19 y debíamos obedecer las órdenes militares. El cuerpo franco, del cual formaba parte con otras nueve mujeres, aparece citado en un boletín como el de "las conductoras que parten a cualquier hora del día y de la noche".

El 10 de mayo estábamos en Givet, Ardennes, muy cerca de la frontera, dedicadas a evacuar a la población. Todavía guardo en los ojos las imágenes de aquellos días y entre todas la más fuerte, la de un joven soldado que agonizaba sobre su camilla, rechazaba su cobija y llamaba: "¡Mamá!". Permanecí de pie petrificada mientras una de nuestras compañeras, arrodillada a su lado, lo acariciaba y le decía palabras tiernas. Esa misma compañera murió dos días más tarde porque se durmió al volante. De hecho nos dormíamos todas. Yo fumaba, cantaba, me pellizcaba para no dormirme. Tuve la suerte de que mi coche pegara en la acera de la derecha cuando mi sueño se hizo más pesado. Una vez dormí en casa de una familia que fue lo suficientemente generosa como para prestarme un canapé. En otra ocasión, lo hice en una cama verdadera.

Nuestra comida se componía de panecillos. Esa manera de vivir no me molestaba en nada. Me sentía de maravilla. En un refugio, una joven pareja me suplicó que los llevara al tren de Reims. El rostro precioso de su niña me persigue aún. Su padre me contó su desesperación por haber abandonado su casa. No pude llevarlos porque éramos once en mi

Peugeot. Les dije que trataría de volver por ellos. Pero una vez en Reims, un cirujano, un capitán jurista y un capellán me esperaban con la orden de llevarlos al primero a Rethel en la frontera con Bélgica, al capellán a Sedan y al capitán a Vousier. Este último hablaba como fanfarrón. Poco a poco se calmó al ver el estado del paisaje y al oír el mugido de las vacas, demasiado llenas de leche, abandonadas en el campo. Ésa era una misión demasiado peligrosa para una madre con dos hijas pequeñas y más tarde, en París, protesté ante la sección sanitaria automovilística. Antes de llegar a Sedan, nos detuvo un centinela. No podíamos pasar en plena batalla. Ya una vez habíamos tenido que dejar el automóvil y acostarnos en una zanja por culpa de los aviones. Espalda contra espalda con el capellán, pensé que había llegado el momento de confesarme. Un poco por verguenza y también porque sentí su miedo a los bombardeos, guardé silencio.

Antes de seguir su camino a pie, le pasé al capellán dos cinchos de cuero para que pudiera amarrar su veliz sobre la espalda. Luego me hinqué en la carretera y le pedí su bendición. El capitán jurista que ya no fanfarroneaba, nos contemplaba con emoción. Con sus cabellos blancos el capellán era muy hermoso. Esto debió pasar el 14 o el 15 de mayo y hubiera podido ser una escena cinematográfica.

Después dejé al capitán en Vouziers y de regreso en Reims las autoridades me mandaron de vuelta a Vouziers, esta vez para evacuar el correo. Mi copiloto fue Solange de Ganay y mis compañeros todo un autobús de ingleses que nos siguió a lo largo del camino. Sobre la carretera nos hicieron seña de detenernos porque habían detectado aviones alemanes que a su vez nos tenían en la mira. Por prudencia, entramos a un bosque en el que nos sentimos tan bien que Solange y yo nos tiramos en la hierba. Uno de los ingleses nos dijo:

—Éste es un bosque a todo dar, creo que voy a ir de cacería.

Y se fue con su fusil al hombro. Regresó gritando:

—¡Maté un tigre!

Y tiró a nuestros pies una vieja piel de tigre que debió ser tapete y alguien abandonó. Nuestra reacción de risa loca lo satisfizo ampliamente; dos gruesos lagrimones rodaban sobre las mejillas de Solange. La noche anterior su parabrisas había sido agujereado por una bala que silbó no lejos de su cabeza. Hasta ese momento y gracias a la comicidad de la situación, podía llorar. Todos teníamos esos desahogos y las treguas se producían según las circunstancias. La mía fue de regreso a París con el único deseo de dormir. Cuando Bichette me despertó con la charola del desayuno, estallé en sollozos.

En varias ocasiones mi hermana vino a preguntarme si quería bajar al sótano porque había sonado la alarma. Ante mi rechazo, ella también regresaba a su cama. Pero cuando Mussolini tuvo la mala idea de declararle la guerra a Francia e Inglaterra, mi pobre Bichette, nacionalizada italiana por su matrimonio con Cesarino, tuvo que partir hacia Italia. Primero fue a Roma a visitar a su hija Pussy, interna en un Convento del Sagrado Corazón, y después se instaló en Milán, en donde trabajó para la fábrica de telas Toninelli. Era dibujante de mucho talento y sus diseños impresos tenían una gran demanda. Desgraciadamente padeció los bombardeos de Milán y debió pasar algunas noches a la intemperie soportando temperaturas glaciales que afectaron sus pulmones.

En el departamento de la rue Casimir Périer le aconsejé también a nuestra valiente Marguerite que regresara a Tours, su tierra, y me fui a vivir a casa de Loli Larivière quien me había ofrecido muy gentilmente hospitalidad.

Ahora me llamaban por teléfono a casa de Loli para notificarme mis misiones. Una de ellas fue ir a buscar a una mujer y sus cuatro niños que se negaba a dejar su pueblo en el que eran los únicos sobrevivientes. Como era de noche, pedí que me acompañara un soldado que no conocía mejor que yo ni el pueblo ni el camino. A pesar de nuestra falta de pericia, tuvimos la suerte inmensa de llegar. Una vez allí, la mujer nos advirtió:

—No me voy si no me llevo mi máquina de coser y mi olla llena de sopa.

La sopa dejó para siempre una huella de grasa en el asiento trasero. La llevé con sus cuatro niños y su equipaje a la estación de tren de Noyant. Los refugiados iban a barracas improvisadas para recibirlos en el sur, pero nunca la olvidaré a ella ni su valor. A pesar de que no nos dijimos nuestros nombres, me gustaría volver a ver al capellán de cabello blanco, a la niña preciosa, a la mujer con los cuatro hijos y saber qué ha sido de ellos. Cuento contigo, Dios mío, para reencontrarlos.

No tuve ese deseo en mi misión en Cayeux con Nicole Bordaux de copiloto. Ella se había enamorado de Drieu La Rochelle. En la camioneta trajimos un primer cargamento de ancianos. En la carretera, pasamos junto a un regimiento de soldados ingleses que iban a pie. El tiempo era muy bueno, el día asoleado. Me detuve para preguntarle al capitán:

—¿Sabe usted donde están los alemanes?

—Están demasiado cerca —me contestó rojo como jitomate bajo su casco:

Insistí:

—Pero ¿dónde?

—En los bosques.

Desde la carretera podíamos ver esos bosques. Una de nuestras compañeras había sido tomada prisionera por los alemanes y la habían hecho su secretaria. Nicole y yo no teníamos ganas de que nos pasara lo mismo. De común acuerdo, después de dejar a los cuarenta ancianitos en su asilo, decidimos regresar a París a toda velocidad. Recuerdo que los viejitos no me inspiraron la menor simpatía. Se quejaban de todo, debíamos detenernos en la carretera a cada rato y Nicole y yo teníamos miedo de que nos agarraran los alemanes. Por el contrario, un burrito abandonado en el campo nos causó compasión, lo hicimos subir a la camioneta y lo dejamos en casa de un campesino que aceptó darle albergue.

A los habitantes de los pueblos que cruzábamos les decíamos que por favor se quedaran en su casa, porque la avalancha de gente que entorpecía los caminos e impedía el paso obstruía a las tropas que venían en su defensa. La razón del pánico de los campesinos se debía a las fechorías cometidas por el enemigo durante la guerra de 1914, pero en esta ocasión habíamos comprobado que la actitud de los alemanes era "correcta" y que por lo tanto no corrían peligro, al menos por el momento.

Ante la tragedia del éxodo, mis frustraciones sentimentales desaparecieron dejándome los pies sobre la tierra y la cabeza en el azul del cielo que dominó el mes de mayo de 1941. El sol brillaba incongruente sobre el tropel de refugiados que no pensaban en lo que hubiera sido su éxodo bajo las lluvias habituales. Lo único que contaba para mí era la solidaridad, la barrita de chocolate saboreada dentro del pan, la taza de café caliente ofrecida por una mujer en la puerta de su casa. Aún recuerdo esa taza de café y me llena de consuelo y gratitud.

Como sabía más o menos el sitio donde se encontraba el regimiento de Johnny, tuve la suerte de poder llegar hasta él en mi Peugeot. En el asiento trasero llevaba yo a tres viejitas recogidas en una zanja. Encontré a Johnny en el garage de la casa rodeado de sus hombres. Su estatura, su perfil aristocrático los dominaba. En vez de la exclamación alegre que yo esperaba me gritó:

—¿Qué haces con esas changas? —lo cual me escandalizó, pero mi molestia no duró mucho tiempo porque estábamos felices de vernos.

El Cuerpo Franco me había seguido. Johnny y su regimiento nos brindaron la hospitalidad de la casa requisada y ellos mismos nos sirvieron de cenar en el gran comedor: las nueve mujeres sentadas y los oficiales de pie tras cada una de nosotras, atentos a nuestro menor deseo. A pesar de la derrota, los oficiales seguían haciendo bromas, felices de servirnos y darnos las últimas noticias. A media noche, Johnny me despertó. Teníamos que irnos porque los alemanes se acercaban. Con gran pesar dejé la cama blanda y el mullido edredón de plumas y salimos destapadas a París para llegar el 7 de junio. Encontré a Loli Larivière muy quitada de la pena, peinándose sentada frente a su tocador. Sobre la mesa vi la caja de chocolates en forma de cabeza de negro que escogí en la dulcería de Tours y que pedí que le enviaran a su dirección en París:

—No sé quién es el imbécil que me mandó esto —me dijo señalando la caja.

Los Larivière y los Béistegui habían tenido la generosidad de donar a Francia un hospital pero como ese regalo se hizo a través del ministro de las Colonias, Georges Mandel, uno de los primeros contingentes de heridos que se internó en el hospital en Nantes fue de negros. Por eso compré las caritas de negro de chocolate. Desgraciadamente ese hospital debió evacuarse a Biarritz a causa de los bombardeos.

Le conté a Loli que los alemanes estaban en Compiègne y que debía abandonar París lo más pronto posible. Me pidió que no dijera nada a la hora de la comida para no echársela a perder y porque tenía a varios invitados. A esa comida asistieron un ministro y cuatro mujeres guapísimas. Una de ellas preguntó:

—Señor ministro ¿sabe usted donde están los alemanes?

El ministro dio esta respuesta:

—No están muy cerca pero tampoco están muy lejos.

Asombroso.

De Francia a México

addy me pidió que le trajera de París a Les Bories un cofre que contenía la correspondencia de Catalina II de Rusia con Estanislao Poniatowski, la de la condesa de Castiglione con Napoleón III, así como el precioso autorretrato de madame Vigée Lebrun y la escultura de bronce de Napoleón I de la que sólo existen en el mundo cinco ejemplares. Uno de ellos, ahora en México, perteneció a Talleyrand.

Salí de París con Lezica Codreano que iba con su hermana y su sobrino al Cantal. Los tres ocuparon la parte de atrás de mi Peugeot y Napoleón hizo su nueva retirada (como la de Rusia) en el asiento delantero. Por falta de espacio le confié el cuadro de Elizabeth Louise Vigée Lebrun a Cusie Hottinguer, quien iba con un camión a alcanzar a los SSA que habían incautado el castillo de Blois. El camión descargó su contenido en el granero del castillo, de donde el retrato desapareció para siempre. Cusie estaba consternada y Daddy mucho más. Yo le declaré que esa pérdida no significaba nada al lado de la presencia de sus cuatro hijos que, a diferencia de muchos otros franceses, estaban vivos.

Una mañana Johnny llegó a Les Bories con todo su material de guerra, su asistente apodado *Petites pattes* ("Patitas") y su mascota, que era un grueso conejo llamado *Vise à droite* ("Apunta a la derecha") porque era tuerto del ojo izquierdo. Johnny y sus hombres escondieron su material de guerra en la granja y ante la gran preocupación de Daddy, Johnny fue a declararlo a la alcaldía para tranquilizarlo.

Nuestro medio de circulación era la bicicleta, perfecta en los senderos poco montañosos del Lot. Del pueblo vecino traíamos un delicioso aceite de nuez fabricado por el cura, cuya hermana, un poco retrasada mental, nos recibió una vez con un "Mierda" atronador.

Descendíamos a pie a casa de madame D'O que nos vendía sus deliciosos quesos de cabra. Desde el valle, la cuesta de regreso era muy dura. A ti no te gustaba caminar de subida y seguramente recuerdas que Kitzia y yo te sentamos sobre un bastón para cargarte, diste la media vuelta y caíste al suelo. A sus 76 años, Daddy subía esa misma cuesta con una facilidad extraordinaria. A mí, a los 32 años, me costaba trabajo seguirlo.

Tú y Kitzia iban a la escuela de Pelacoy en bicicleta y a los siete años escribías ya muy bien. Te gustaba la escuela, para ti era importante aprender.

En el mes de agosto Johnny y yo volvimos a encontrarnos en la rue Casimir Périer en París, ya que la rue Berton estaba ocupada por los alemanes. Al rebasar un camión lleno de alemanes en la carretera, nos dimos cuenta de que su apariencia física era fuerte y sana. Eran guapos. En cambio los ingleses tenían los dientes negros. En París los alemanes se veían por todas partes y, por su uniforme, los franceses los habían bautizado como *les haricots verts* (los ejotes verdes). En el Théatre de dix heures, la comadre, o chismosa, que aparecía a la izquierda en la ventana de una caseta, preguntó abiertamente al público si nos gustaban los ejotes. A la mañana siguiente, la suspendieron.

Fui a nuestra casa de la rue Berton a buscar la mesa en forma de riñon para llevarla a casa de los De Limur. El oficial alemán corrió tras de mí diciendo:

—*Der tish, der tish* (La mesa, la mesa).

A lo que respondí:

—*Nein, das is nich fur zie* (No, no es para usted).

El antiguo castillo de Lamballe quedó bajo la protección de Estados Unidos porque pertenecía a Ethel Crocker de Limur. Por eso pudimos guardar allí algunos de nuestros muebles.

El 16 de agosto mataron a Billy Fiske en la batalla de Inglaterra. Pudo pilotear su avión en llamas hasta Londres, pero sus piernas estaban horriblemente quemadas. No sobrevivió a las heridas. Tenía veintiocho años y era el primer estadounidense en enrolarse en la Royal Air Force. Fue también el primer voluntario de Estados Unidos en enrolarse en esta guerra. La placa que conmemora este acontecimiento se encuentra en Saint Paul, en Londres y dice lo siguiente:

William Fiske III, American who in the RAF gave his life for the love of England.

Ojalá vayas a verla algún día en memoria de Billy, Es fácil encontrarla porque está al lado de la tumba de lord Wellington. Durante la *drôle de guerre*, Billy Fiske vino algunas veces a París. Su padre me dio cita en el Ritz y compartí su desesperación. Cuando Billy se enroló en la aviación inglesa, el gesto heroico de su hijo le produjo un enorme temor. En una cena en Maxim's Billy me contó la felicidad que sentía al volar. Para él nada era mejor que estar entre cielo y tierra, sobre las nubes.

Añadió: "Cuando estoy alla arriba, rezo".

Al principio de las hostilidades nos llegó la triste noticia de la muerte de Edouard Zents D'Alnois apodado *Doudou*. Ese apodo le iba muy bien porque era muy dulce. Todo el mundo lo quería. Era pintor e hizo mi retrato; un pequeño cuadro romántico en el que estoy de perfil, el rostro vuelto hacia una ventana, recostada sobre un diván con un precioso vestido de "Schiap", con una guitarra a mis pies. Al darle el pésame a uno de sus tíos le hablé de ese retrato. Me dijo compungido que todas las pinturas de *Doudou* se habían perdido.

Ocho días antes del armisticio, mi sobrino Marie-André salía de su tanque en Holanda, se quitó el casco y recibió una bala perdida en la cabeza. Se había enrolado en el ejército del general Sikorski; era guapo y rubio, muy alto. Fiel a sus orígenes, fue el único de tu generación que aprendió polaco, aunque tú lo intentaste en 1958 con Elzbieta Bekier, que te dijo que mejor te dedicaras a escribir.

Me he preguntado muchas veces por qué los mejores son los que se van primero. ¿Los ama Dios particularmente y quiere tenerlos más pronto junto a él y evitarles así las vicisitudes de esta vida? De toda esta juventud que nos rodeaba en París, en Biarritz, no queda nadie. Durante la guerra de España mataron a Gonzalo Gándara y a los dos hermanos Fernán Núñez, el duque y su hermano Tristán. Alec Mdivani y Bobby Lowenstein murieron en accidentes automovilísticos. Quedan las mujeres, pero todas mis ami-

Fairlight, en Inglaterra, 1910.

Hélène Idaroff en Fal, Biarritz, 1927.

Wajencki, Palacio Poniatowski en Varsovia, 1776.

Wilanov, galería, 1778.

Wablonna, 1780.

La Llave, Querétaro, 1996. (Foto Agustín Estrada.)

Los Nogales, 1996. (Foto Agustín Estrada.)

Rey Estanislao Augusto Poniatowski,
1732-1798, exquisito conversador.

Estanislao Augusto Poniatowski
pintado por Lampi.

Estanislao Augusto Poniatowski
en Wablonna.

Miguel Jorge Poniatowski,
1736-1794, arzobispo de Polonia.

El mariscal de Francia José Poniatowski en el momento
de arrojarse al Río Elster, pintado por Horace Vernet.

José Poniatowski.

Muerte del príncipe José Poniatowski, mariscal de Francia,
el 19 de octubre de 1813. Vajilla de la familia Poniatowski.

La princesa Isabel Lubomirska,
nacida Czartoryska, 1733-1816.

La condesa Luisa Lehon,
madre del príncipe André Poniatowski,
suegro de la autora.

André Poniatowski, 1864-1951, autor de
De un siglo al otro y *De una idea a la otra*,
suegro de la autora.

André Poniatowski a caballo.

Elizabeth Sperry Poniatowska,
1872-1943, pintada por Boldini.

Hélène Idaroff de Yturbe,
abuela de la autora,
muerta en 1932.

Elena Yturbe de Amor,
madre de la autora, viuda en 1918.

Felipe Yturbe, abuelo de la autora.

Francisco Yturbe, tío de la autora,
mecenas de José Clemente Orozco,
Manuel Rodríguez Lozano
y Carlos Pellicer.

Elena Yturbe en su asilo para perros en México, 1956.

Tres hermanas Amor: Paulette, Bichette y Lydia, 1911.

Paulette vestida
de china poblana, 1923.

Un perro callejero
en la calle de Tíber, 1923.

Pierrot y Colombina, en el internado Florissant en Suiza,
Paulette con Ingeborg, 1923.

Bobby de Villeneuve Yturbe, primo
hermano de la autora, quien se mató
practicando alpinismo en el
Pic du Midi, en los Pirineos, 1934.

Billy Fiske,
primer piloto estadounidense
muerto en la Segunda
Guerra Mundial, 1940.

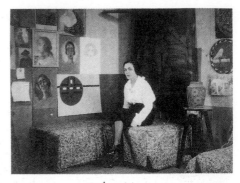

Bichette Amor
en su estudio de pintora, 1925.

Bichette Amor, 1925.

Bichette Amor, 1933. (Foto de Man Ray.)

Evremont de Saint Alary.

Claude Débussy.

Stephane Mallarmé.

Matrimonio civil en la alcaldía de París XVI, noviembre de 1930.

Matrimonio religioso, día de Santa Isabel, 19 de noviembre de 1930.

Paulette en Karlsbad, 1927.

París, 1937.

Paris, collar de Schiaparelli.

Paris. (Foto André Durst.)

Paris, 1937.

Paris, 1939.

En México, frente al biombo pintado
por Chucho Reyes, 1946.

París, 1939.

México, 1947. (Foto Semo.)

Paulette alpinista en Suiza, 1924.

Viaje a Grecia, 1937.

Paulette en Spéranza,
Mougins, Alpes marítimos, 1932.

Johnny, Paulette, Elena y Kitzia, 1940.

Paulette y Elena, 1933.

Johnny con George, el barman del Ritz,
durante la ocupación alemana en París, 1940.

Paulette en su uniforme de guerra.

Capitán Jean E. Poniatowski, 1939.

Johnny con su primer nieto,
Pablo Aspe Poniatowski, 1954.

Johnny frente a su tanque de guerra, 1939.

Lanza del Vasto y la autora en Montredon, Francia, 1941.

Luis Barragán.

José Clemente Orozco.
(Foto archivo CNCA.)

Carito, 1930.

Carito Amor. (Foto de Paul Strand.)

Paulette con Raoul Fournier.   Paulette en el Club de Golf México.

Club Hípico Francés, 1943.

Paulette y Johnny, México, 1950.

Elena, 1954.

Kitzia, 1951.

Boda de Kitzia
y Pablo Aspe Sais, 1953.

Con su hija Kitzita, 1969.

Kitzia, 1995.

Llegada a México de Paulette,
Elena y Kitzia, 1942.

Jan en brazos de su madre, 1948.

Jan y Paulette, 1949.

Jan Poniatowski Amor a los seis años.

Jan, en la ventana
de la Rue Casimir Périer,
París, 1962.

París, 1962.

En el jardín de La Morena
con su perra Poupouille.

La víspera de su muerte,
8 de diciembre de 1968.

Padre Thomas Fallon y Carito Amor.

Padre Carlos Mendoza
y Paulette, 1995.

La autora con su hermana Lydia y Elena,
los Nogales, Tequisquiapan, 1983. (Foto Rosa Nissán.)

gas son viudas porque en la guerra o en accidentes sus hombres se fueron primero. Tuve una reacción muy violenta al enterarme de que Johnny, como militar, había empezado a tomar cursos de aviación. Le pregunté si también él quería matarse. Durante un tiempo, volvió a su puesto de director de material telefónico en la ITT y yo a mi trabajo de voluntaria en los SSA. Ustedes se quedaron en Les Bories con sus abuelos. Una de mis últimas misiones, el 11 de noviembre de 1941, fue ir al campo de Chateaubriand dentro de un camión de doble engranaje lleno de paquetes para los prisioneros de los alemanes. Me acompañó otra conductora y un soldado alemán para vigilarnos. Siempre comisionaban a un soldado alemán para que fuera con nosotros porque a una de nuestras compañeras, Marie Jeanne las Cases, la sorprendió un prisionero francés que escapó escondiéndose bajo su camión.

Entre los paquetes para los prisioneros de Chateaubriand, uno era para Pierre Colle, el marido de Carmen Corcuera, que más tarde escapó, no del mismo modo, sino al ir a comprar cigarros en el momento de pasar filas.

No recuerdo por qué fuimos hasta Saint Malo, mi orden de misión redactada en alemán era para Caen, a lo mejor era para dejar a nuestro ángel de la guarda que no hablaba una palabra de francés y me hacía detenerme a cada rato para beber un trago en un bistró. Para nuestro alivio no regresó a París con nosotras.

Al llegar a Saint Malo de noche me puse a caminar buscando dónde dormir y al pasar sobre un puente un soldado alemán me jaló del brazo. Lo sacudí con tanta energía que tuvo que soltarme. Saint Malo estaba en plena efervescencia. Había soldados por todas partes, como si el ejército estuviera en espera de un magno acontecimiento. Mi compañera y yo tuvimos la impresión de que la flota alemana se preparaba para invadir Inglaterra. Encontré un cuarto en una casa particular con una cama matrimonial, pasé allí una mala noche en parte por mis brazos adoloridos de tanto manejar el pesado camión y en parte por el olor de mi compañera al que no estaba yo acostumbrada.

En otra misión conocí a Odette Fabius, judía, morena y bella. Habíamos entrado en una Kommandatur para pedir bonos de gasolina. Un oficial se acercó a ella y mirando su nariz, le dijo, excusándose cortesmente, que en vista de su tipo reconocible le aconsejaba salir de Francia. "En previsión del trato que Hitler piensa darle a la raza judía, es mejor que se vaya". Estupefacta, observé la escena. Odette, como una nueva Judith, lo miró de arriba abajo midiéndolo con arrogancia y le dio la espalda.

Continuamos nuestra misión y tuvimos otra plática con un oficial alemán que nos hizo partícipes, en inglés, de su desesperación por la idea de tener que invadir Inglaterra, país al que amaba y en el que había sido educado. Mientras nos hablaba, sus ojos se llenaron de lágrimas.

Por uno de esos azares volví a ver a Odette Fabius en México, después de la guerra, porque vino a comer a nuestra casa con Jean Sirol y nos contó su encarcelamiento en el campamento de Ravensbruck en el que la golpearon y de donde salió con escorbuto y pesando treinta y cuatro kilos.

Cuando le preguntamos cuál era su estado de ánimo después de ese tratamiento nos dijo:

—No saben ustedes la felicidad que significa volver a tener un jabón.

Añadió:

—En la religión católica ustedes tienen la ley del perdón, también yo pienso que se debe perdonar.

El libro de Christian Bernadac *Le camps des femmes* cuenta cómo Odette se evadió del campo de concentración. Odette Fabius fue condecorada por el presidente Georges Pompidou con la Cruz de Comandante de la Legión de Honor, en Los Invalidos. La ceremonia del entierro, en Saint Louis des Invalides, de la condesa Leyla du Luart, que formaba parte de nuestro Estado Mayor, fue espléndida. Asistieron los jóvenes de la Legión Extranjera de quienes había sido madrina. Fue también el comandante de la Legión de Honor y Grand Maître de l'Ordre du Mérite, Croix de Guerre y Croix d'Ordre de los polacos.

La condesa Du Luart me acompañó en una misión, en 1940, para ir a la zona libre con mi Matford llena de paquetes. Una copiloto iba a mi lado. Leyla atrás, en el interior de la camioneta. Los alemanes nos detuvieron en la frontera y ante nuestro nerviosismo nos dieron la orden de abrirla. Leyla du Luart había escondido los paquetes bajo su capa y se había acostado encima. Los alemanes, estupefactos al ver a esa bella mujer que les sonreía, nos dejaron pasar. Leyla du Luart permaneció en zona libre, mi compañera y yo regresamos solas. En el puente, los alemanes exigieron que nos identificáramos. Al leer mi nombre el oficial dijo:

—*Koenig von Poland* (Rey de Polonia).

Y nos devolvió los papeles.

En el otro extremo del puente el centinela nos detuvo dándonos la orden de regresar. Una vez de regreso, el oficial alemán nos informó que ya no podíamos atravesar el puente. Con mucho coraje le espeté:

—Es bien sabido que los alemanes no tienen palabra.

El oficial me miró con frialdad:

—¿Sabe, señora, que puedo encarcelarla?

Le respondí:

—Si ustedes no me dejan pasar voy a hacerlo por otro lado.

Dicho y hecho, tomamos otra carretera y pasamos.

En uno de mis últimos viajes a Francia, de visita en el departamento de Sylvia de la rue Octave Feuillet, vi un bellísimo libro de cuero rojo sobre una cómoda. Lo abrí. Estaba grabado en letras de oro y me enteré con sorpresa que, gracias a su intervención, los archivos de la Biblioteca Nacional se habían salvado. Respondió a mis preguntas con su bonita sonrisa:

—Ha sido por azar que abriste este libro y te enteraste de mi trabajo en la Resistencia.

Sin duda para vencer su modestia, sus hijos le pidieron que escribiera sus memorias. Tuvo la gentileza de enviármelas en la Navidad de 1989, aunque las escribió únicamente para ellos.

Al dejar Valençay para ir al castillo de Rochecotte, propiedad de los Castellane, Sylvia hizo varias misiones y previno al jefe del Estado Mayor estadounidense para que no bombardeara el castillo d'Ussé en el que estaban los archivos de la Biblioteca Nacional. Sabía además que los alemanes debían ir a Chinon y dos días más tarde fueron interceptados por los estadounidense sobre la carretera. Sylvia de Castellane salvó el castillo d'Ussé, la familia de Blacas, el pueblo y los tesoros de la Biblioteca Nacional.

Por ser presidenta de la Cruz Roja, le informaron que un convoy de prisioneros pasaría por la estación de Saint Patrice, entre ellos los condenados a muerte. Logró que el oficial alemán los dejara bajar del tren para alojarlos en la escuela del pueblo. Entre ellos había muchas mujeres enfermas. Pudo hablar con los diez condenados a muerte, alimentarlos, llevarles cobijas y medicamentos. Como los prisioneros tenían que ir a los excusados de la escuela, Sylvia y su gente les dieron con que cubrir su cráneo rasurado —gorra o sombrero— y les indicaron que de los baños saltaran la barda de la escuela y echaran a correr. Una vez afuera los ayudarían a esconderse en el bosque. Entre tanto Sylvia y su equipo distraerían a los centinelas con el buen vino de Vouvray. Cuando los camiones militares alemanes vinieron a llevarse a los prisioneros, se desataron la confusión, los gritos y las órdenes a diestra y siniestra, pero ya los diez condenados estaban lejos. Así, Sylvia de Castellane les salvó la vida.

Sylvia recibió un diploma de reconocimiento. Me pregunto por qué no le dieron la Legión de Honor. A las diez participantes del cuerpo franco les otorgaron la Cruz de Guerra, es decir, las diez primeras que encabezaban la lista, porque las dos últimas, madame Prouvost y yo no la recibimos. En mi libreta de servicios de la Sección Sanitaria Automóvil Femenina, SSA están anotadas mis distintas misiones del 10 de mayo al 13 de junio "con el vivo pesar de no haberle visto concedidas las distinciones merecidas". Firmado y fechado el 12 de noviembre de 1940.

De vez en cuando íbamos papá y yo a verlas, a Speranza o a Les Bories que Daddy había comprado previendo la guerra, porque en esa región de Francia todavía podía uno alimentarse. No sucedía lo mismo en la Costa Azul, en donde una vez en el Hôtel Carlton de Cannes no pudieron servirme sino una tajada de jamón entre dos rebanadas de pan tostado.

Mother perdió treinta kilos porque sólo se alimentaba de rutabagas, unas raíces parecidas al camote.

Mal que bien, uno se las arreglaba en París. Recuerdo una comida en la rue Casimir Périer para la cual fui a buscar a Fauchon, *oeufs à la gelée* y, del lado de la Avenue des Ternes, un pollo. Tuve gran miedo de perder los huevos porque en el momento de pasar la rue Royale, un alemán abrió la puerta de su coche haciéndome caer de la bicicleta. En cuanto al pollo, Johnny se sorprendió al verlo humeante en la cacerola de Margarita. Nuestros invitados eran Arletty, Francis Poulenc, Pierre Colle y Sacha de Manziarly, Como no tenía aceite le puse a la ensalada Nujol (un purgante). Johnny, eterno bromista, sacó a la hora del postre un *camembert* de cartón. Felizmente trajo también uno de verdad que transformó las exclamaciones de tristeza en gritos de alegría.

Había que volver a la casa antes de medianoche porque más tarde los alemanes te llevaban al puesto de policía y te hacían pasar la noche en una banca. Al regresar de una cena, perdí mi correspondencia del Metro y tuve que ir del Boulevard Saint Michel a la rue Casimir Périer pegada a los muros sobre mis tacones altos.

En 1941 nuestros amigos Carmen y Pierre Colle vivían en la esquina de la rue Saint Dominique, muy cerca de la rue Casimir Périer, y después de mi partida Johnny iba a verlos muy seguido y fue el padrino de su segunda hija: Beatriz. Como ya no cabían se mudaron a la rue de Varenne. En una de sus visitas, Carmen le dijo: "Ven a ver mi retrato pintado por Picasso y dime qué piensas de él". Después de haberlo examinado, Johnny le respondió: "Creo que pareces más bien una tetera". Carmen lo empujó con el codo y al volverse, tu papá vio a Pablo Picasso que reía.

Ese año nuestra situación se había vuelto muy difícil en

Francia y Johnny me aconsejó que las trajera a México, donde mamá nos esperaba. La dificultad era cómo viajar, pero tuve la suerte inmensa de que un amigo estadounidense, Bill Brewster, me cediera su cabina en el "Marqués de Comillas" que zarpaba de Bilbao.

Cuando tomamos la decisión y se la comunicamos a Mother y a Daddy, mi suegro me escribió una carta en contra del proyecto. Alegaba que en Les Bories ustedes estaban razonablemente alimentadas y que en la escuela comunal de Pelacoy recibían una buena educación. Su carta era bastante violenta y de haberlo escuchado, tu destino y el de tu hermana sería otro, porque al seguir viviendo en Francia habrían sido francesas.

El cónsul de México en Marsella tenía que darme mi pasaporte. Así, mi amigo Sacha de Manziarly, quien estaba en Cannes y también salía para América, me propuso ir de paso a Marsella con él a Montredon, casa de la condesa Pastré.

Sacha de Manziarly era alto y fuerte y si no fuera por un cierto modo de arrastrar su pierna izquierda, jamás hubiéramos pensado que era artificial. Se la habían amputado durante la guerra de 1914, a la edad de diecinueve años. ¿Recuerdas que mucho tiempo después lo llevé a casa de Luz y Valente Souza en Acapulco? Le encantaba nadar. Una vez me pidió que lo acompañara a una zapatería en Cannes y no encontró calzado para sus pies, pero el modo en que le habló a la vendedora era tan amistoso y cordial que ésta, sintiéndose tratada como una verdadera persona, nos acompañó a la puerta con una sonrisa encantadora. Al hacérselo notar me explicó que perder la pierna tan joven le había hecho comprender el valor de las relaciones humanas.

Me pregunto si tú y Kitzia recuerdan el *show* que nos

dieron en el andén de la estación de Cannes. Era un diálogo cantado entre Hitler y Mussolini que concluía cuando las dos caían al suelo. Según ustedes, así debían terminar esos personajes. Ustedes no eran tímidas y sus actuaciones proféticas tenían alegría y chiste.

Sacha y yo llegamos a Montredon a la hora de la comida. Ya estábamos sentados en el comedor cuando entraron dos hombres de gran estatura y se presentaron: Lanza del Vasto y Luc Dietrich. Les pregunté inmediatamente qué hacían. Los dos me respondieron: "Somos escritores".

Montredon era una casa de ensueño en la que uno entraba y salía cuando quería. Su dueña, la condesa Lili Pastré, era una mecenas que protegía a los artistas. En su parque, un pianista ausente, como la dueña de la casa, ocupaba un pabellón en el que me instalé. El *maître d'hôtel* era el anfitrión. Se ocupaba de nosotros y del aprovisionamiento de la casa. Le dimos nuestras tarjetas de racionamiento para el mercado. Los plátanos eran el único postre.

Una noche, sentados en el suelo para ver una proyección de las fotografías de Luc Dietrich, sentí una fuertísima atracción por Lanza del Vasto, quien estaba tras de mí. Como un imán hubiera yo querido repegarme contra él, pero me puse a hablarle de mi hermana Bichette diciéndole que estaban hechos el uno para el otro. Personalmente me sentía más al alcance de Luc, menos fuerte y más joven. Lanza había recogido a Luc en una banca del parque. Se hablaron sin conocerse. Lanza lo llevó a Montredon.

Le escribí a Bichette a Milán para que tratara de venir a verme antes de mi partida. "Me voy a México". Mi alegría fue muy grande cuando llegó en tren. Muy pronto, entre ella y Lanza se dio el entendimiento que yo había previsto. Lanza era guapo, tenía ojos muy azules. Nos recitaba maravillosamente su poesía, sentado en posición de loto; una lámpara tras él lo envolvía en una luz dorada. Bichette quedó prendada. Lanza se enamoró de mi hermana. Luc Dietrich de mí. Luc me contó su niñez tal y como la escribió en su novela: *La felicidad de los tristes*. Nos hicimos muy amigos a pesar de que le dije un día que su perfil era el de un asesino. No habría de volver a ver a Luc, quien me escribió varias veces a México hasta que le pedí que ya no lo hiciera. Lanza y Bichette, en cambio, siguieron en contacto hasta la muerte de Lanza del Vasto, que venía a visitarla a la rue Casimir Périer vestido con una túnica blanca, una cuerda a la cintura y envuelto en una gigantesca capa también blanca. Con su cabello y su barba blancas, parecía un peregrino y todas las cabezas se volvían para verlo.

Un tranvía amarillo chistosito nos llevaba a Bichette y a mí a Marsella a nuestras citas con el cónsul, quien acabó por darme mi pasaporte a condición de que volviera a tomar la nacionalidad mexicana. Así lo hice.

Johnny vino a buscarme a Montredon. Antes de regresar a Les Bories tuvo la gentileza de correr a la estación para alcanzar al dibujante Boris Kokno que había olvidado a su perrito blanco en Montredon. En el andén del tren lo puso entre sus brazos.

Regalé mi uniforme de las SSA a la hija de Lili Pastré que tenía mi estatura.

Mi hermana Bichette regresó a Milán.

Ya no recuerdo qué día de mayo dejamos Les Bories y tomamos el tren en Cahors. Desde la ventanilla de nuestro vagón miraba a tu padre con el corazón apretado. No sabía cuándo lo volvería a ver.

Me dijeron que encontraríamos qué comer en las paradas del tren; no fue así. No había nada y yo sólo traía paté y cerezas. Al llegar a la frontera con España nos moríamos de hambre. Los aduaneros me pidieron setecientas pesetas para pagar el transporte de nuestras maletas. Entonces saqué cincuenta dólares que había escondido en el fondo de una caja de azúcar. El aduanero protestó. Su deseo de causarme molestias era evidente..

—¿Usted quiere que yo le pague, verdad, señor aduanero?

Felizmente, de pie junto a él, al oír mi nombre, un hombre alto le dijo que conocía muy bien a mi cuñado André Poniatowski y que respondía por mí. En la estación de Zaragoza le pedí a un taxi que nos llevara al mejor hotel. Apenas me quedaba con qué pagar. En la recepción, después de haber visto mi pasaporte con tu foto y la de Kitzia y mi título de princesa, me dieron una excelente recámara con baño. Abrimos la llave de agua caliente de la tina con gritos de alegría.

A la hora de cenar comimos hasta llenarnos la excelente paella servida en el restaurante del hotel. Sólo el pan negro y duro no nos gustó. A la mañana siguiente bajé apenada a la recepción para explicar que no podía yo pagar. El administrador a quién le aseguré que le enviaría el dinero desde Bilbao resultó admirable por su cortesía y su gentileza y me dijo que comprendía perfectamente mi situación. Pero, ¡horror de horrores!, en el banco de Bilbao no habían recibido el dinero de México. Entonces se me ocurrió hablarle por teléfono a Pepe Yturbe, mi primo, que estaba en Madrid y me respondió:

—Tomo el mismo barco que tú, el "Marqués de Comillas" y te llevo dos mil pesetas.

¡Qué suerte inesperada! Llegó a la mañana siguiente, contento de vernos y dijo:

—Niñas, ¿quieren dulces?

De las bolsas de su pantalón sacó bolas de naftalina.

Durante los quince días que duró la travesía lo rodearon dos preciosas mujeres, Marie Thérèse Pereire e Yvonne de Eckrem que más tarde habría de casarse con el viejo lord Mendl, pero murió de cáncer antes que él. A ustedes, Elena, les encantaba ver a las dos mujeres vestirse y maquillarse para ir a cenar en el gran comedor del "Marqués de Comillas".

El barco era viejo y en las noches se escuchaban crujidos siniestros. Kitzia, que tenía una camita en la cual apenas cabía, se mareó la primera noche y pegó un grito:

—¡Mamá, haz que se detenga este barco, quiero bajar!

Había otros niños en el barco con quienes jugaban todo el día. Entre ellos, el pequeño Manuel, hijo del embajador de España en Cuba. Un día viniste a buscarme con una expresión interrogante:

—Dime mamá, cuando Manuel me amaba no lo amaba yo, pero ahora él ya no me busca y yo lo amo. ¿Es eso el amor?

Kitzia se había enamorado de nuestro mozo de cabina, un bello español de piel morena. Tu hermana se asía desesperadamente de su cuello cada vez que él se inclinaba sobre su cama para consolarla del mareo.

A medida que nos acercábamos al trópico, el mar y el cielo se volvían de un azul intenso. La cubierta sobre la que jugaban los niños, de un blanco enceguecedor, así como las balaustradas que la rodeaban, demasiado espaciadas, me hacían temer que el deseo de Kitzia se cumpliera.

Hicimos amistad con una joven pareja de mexicanos; la mujer estaba encinta. Al llegar a La Habana vino a buscarme para comunicarme su preocupación porque le habían contado que a los pasajeros los enviaban en cuarentena a la isla de Triscornia. Temía dar a luz en Triscornia y no en México.

Le reclamé al capitán y le expresé airada nuestra sorpresa ante ese trato tan injusto. Él me respondió con esta frase inesperada:

—Esta gente, señora, no ve la diferencia.

Me cuidé de decirle que yo tampoco la veía. El resultado fue que ninguno de nuestro grupo fue bajado en Triscornia. La pareja de mexicanos se llevó mi baúl en barco a Veracruz, las dos jóvenes y Pepe iban a Nueva York, y nosotras, después de una noche en un hotel de La Habana, tomamos el avión para ir a México.

Momentos antes de la llegada del "Marqués de Comillas" al puerto de La Habana, numerosas lanchitas nos rodearon. Inclinados sobre el barandal, oíamos los gritos de los remeros: "¡Pecao, pecao, pecao!", repetían sin cansarse. Me preguntaba de qué pecado nos acusaban, pero se trataba de pescado.

En el muelle, donde esperábamos nuestras maletas, me inquietó no ver lo más valioso: mi *nécéssaire* de Kendall que contenía mis joyas: el collar de diamantes, ahora de Kitzia, tres hileras de perlas finas, mi broche de topacio rosa que ahora es tuyo, mis dos anillos de esmeralda, mi zafiro, mis cadenas y pulseras. Por fin vi llegar a nuestro mocito de cabina cuya tez se había vuelto gris ceniza. La explicación enrevesada que me dio me hizo pensar que alguien había querido robarlo.

El calor era intolerable. Con dificultad logré recorrer las calles en las que en cada esquina había jugos de frutas deliciosos y refrescantes. En la noche, Pepe nos invitó al más bello cabaret: Tropicana, en el que soberbias mulatas bailaban frente a una jungla.

El avión bimotor que nos llevó a México no estaba lo suficientemente presurizado. Al descender al altiplano mi oído derecho me dolió muchísimo y Kitzia se puso a aullar. Tú, Elena, pálida, no dijiste nada, acurrucada cerca de mí. Sigues haciendo lo mismo, nunca dices nada, sólo te pones blanca. Intenté calmar a Kitzia. Por fortuna, el mal momento duró poco. Aterrizamos dejando tras de nosotros Cuba, el "Marqués de Comillas" y ...Europa.

El cambio no se hizo sin dolor. ¿Cómo sería nuestra vida en México, tan distinto al país que dejamos? México recibía a tres francesas, una de ellas de proveniencia mexicana, ustedes, francesa, americana, rusa y polaca.

¡Qué ensalada!

En tierra, nos esperaban mamá, tía Hélène Subiervielle y mi prima Diane Fontanals. La casa que mamá amuebló estaba en la calle de Berlín número 6. Con sus tres torres, parecía más bien una lujosa villa de Arcachon. Había pintado el interior, espacioso y de techos altos, con colores pastel: azul cielo para la sala, coral para un pequeño salón, lila para el comedor. Todo era muy luminoso. Mi recámara, con muebles de madera clara, me pareció inmensa e inmenso también el espejo en el que me veía desde la cama.

Al entrar en su enorme recámara lanzaron ustedes gritos de alegría porque mamá puso sobre cada cama una muñeca de tamaño casi natural. Su recámara tenía una torre y en ese espacio redondo sobre una mesa redonda harían la tarea a partir de entonces.

El colorido lenguaje de las criadas muy pronto se les hizo familiar. En la Windsor School, a tres cuadras de la casa, aprendieron un buen inglés y para que no olvidaran el francés, la profesora de la universidad, Bertie Sauve, aceptó darles clase cuatro veces a la semana. El piano en la academia de la señorita Belén Pérez Gavilán, en la calle de Liverpool, y la danza con miss Carroll, completaban su educación.

El 29 de junio, para mi gran sorpresa, mis amigos festejaron el día de San Pedro y San Pablo. Recibí numerosos ramos de flores y felicitaciones. El más bello era el que combinaba los colores de Francia. Llamé a Antonio Cortina para agradecérselo porque era él quien me lo había enviado. Algunos días más tarde vino a verme y lo recibí en el salón coral. Más de diez años habían pasado y al tomar su encendedor para prender su cigarro vi con emoción que su mano temblaba.

Mis amigos mexicanos nos colmaban de gentilezas. Recibía yo muchas invitaciones a comer, a cenar, a bailar, a salir de fin de semana. La vida en las haciendas ya no era la misma, aunque algunas habían sobrevivido a la expropiación. El "Profe" y Aurora Braniff nos invitaron a Jalpa, en Jalisco. Una vez me llevaron a una corridita con novillos de seis meses. Me metí a la arena con una capa roja. Después de algunos moretones, me retiré prudentemente tras el burladero. La reacción lógica frente a un toro de talla que lo embiste a uno es la de correr, porque la impresión es similar al acercamiento de una locomotora.

Eduardo Iturbide nos acogió varias veces en Pastejé, donde les enseñó a ustedes a montar a caballo y a circular entre los toros bravos sin demasiado miedo.

Kitzia y tú se llevaban muy bien con la gente grande y los divertían con sus canciones traídas de Francia y sus representaciones de enanitos escondidos tras una mesa, sus brazos disfrazados de piernas. Eduardo les enseñó a cantar: "Échale un quinto al piano y que siga el vacilón"

Eduardo me invitaba los domingos con Dolores del Río a

las corridas de toros, es decir, a la temporada de invierno, la seca, en barrera de primera fila. Mamá me miraba con reproche, ¿cómo podía yo asistir a la Fiesta Brava? Le respondía que me gustaba cuando los toreros y los toros eran buenos y me aburría cuando eran malos. A tu tío Raoul Fournier, esposo de mi prima Carito, gastroenterólogo y director del Hospital General, lo invitaban sus pacientes de toda la República. Nos propuso a Beatriz Corcuera, a su novio, Gustavo Pizarro, y a mí acompañarlos a Carito y a él a una excursión al río Papaloapan. La primera parte se efectuó en tren hasta Tuxtepec y desde allí sus amigos nos llevaron a nuestro destino en balsa. Sobre una mesa rectangular hecha con grandes bloques de hielo, habían colocado todas las frutas y las verduras imaginables. Alumbrados por la luna, resbalábamos sobre el río, en medio de una paz absoluta. Esta manera de viajar nos pareció sublime, y así llegamos al objetivo de nuestro viaje, el pueblo de Valle Nacional, cuyos caminos estaban tapizados de hierba verde en los cuales sólo se podía circular a pie. Las casas con techos de teja remataban el aspecto único del paisaje.

La llegada a casa de los anfitriones fue menos poética. La principal era madre de los dos jóvenes que fueron por nosotros y propietaria de la miscelánea. Nos recibió en una gran pieza desnuda y nos hizo sentar sobre sillas repegadas a lo ancho y a lo largo del muro. Ignorándonos, se dirigió sólo a Raoul, enumerándole con lujo de detalles todos sus males, sus dificultades digestivas, gases y demás. Raoul sacudía la cabeza y le recetaba las medicinas adecuadas. Terminada la consulta pública, nos indicaron cuáles eran nuestras habitaciones, Raoul y Carito en la casa principal, Beatriz, Tavo y yo en una más modesta. En nuestra recámara de tierra apisonada había una gran cama de latón con tablas en vez de colchón en la que, ¡válgame Dios!, Beatriz y yo dormimos sin demasiada dificultad. Un gallo, encaramado sobre la corona del cielo raso, nos despertó con su canto. En el fondo del jardín, una cabañita con un agujero sucio de excrementos servía de excusado. Preferimos la naturaleza y también el río para lavarnos. Beatriz creyó ver ojos escondidos espiándonos entre los bejucos.

Uno de los jóvenes nos propuso descender a nado el río Tonto, afluente del Papaloapan. Entusiasmados con la idea, una *pick-up* nos llevó temprano en la mañana al origen del río. Una vez en el lecho del río, la caminata sobre piedras redondas, en las cuales nuestros pies calzados de alpargatas resbalaban y se torcían, fue un suplicio. Por fin nos acuclillamos y avanzamos sobre nuestros traseros. El sol pegaba duro, los moscos picaban y no se veía nada de agua en el horizonte. Beatriz me enseñó su pulsera de plata totalmente rayada por las piedras. Casi al final de nuestra carrera encontramos veinte metros de agua cristalina para refrescarnos, pero tuvimos que continuar sobre las piedras. Eran las cuatro de la tarde cuando, agotados, pudimos acostarnos sobre la ribera. Nuestro guía se carcajeó:

—¡Con qué se cansaron del agua!

Mi sangre dio un brinco y de pie frente a él, le grité:

—¡De quien nos cansamos es de usted!

Carito me echó una mirada de reproche.

—Paulette, es nuestro anfitrión —me dijo en francés.

—No es culpa mía si es tan tonto —le respondí enojada.

Una violenta tormenta estalló una tarde cuando estaba de visita en casa de Carito y Raoul. No podía regresar a la mía bajo esa lluvia torrencial. La clienta de Raoul tuvo la amabilidad de ofrecerme un cuarto para pasar la noche y una soberbia cama de caoba de columnas torneadas. Sintiéndome como la princesa del chicharito, pensaba en el río Tonto tan digno de su nombre. Me preguntaba si por fin estaría llenándose, cuando vi entrar a una de las mujeres de la casa, sacar la bacinica bajo mi cama y sentarse mientras me hacía la conversación. Luego, sin ir a vaciarla, volvió a meterla bajo la cama.

Terminada la visita a Valle Nacional, nos fuimos, un poco traqueteados, porque solo los estómagos de hierro de Carito y de Beatriz habían resistido la alimentación que consistía en frijoles y venado cazado el día anterior. Varias veces vi a Raoul desaparecer discretamente entre los matorrales. Tavo Pizarro, que tenía úlcera, se retorcía de dolor. En cuanto a mí, pasé toda la noche atravesando un patio inmenso del hotel de Tuxtepec para ir al excusado.

De regreso en México, Tavo tuvo que internarse en el hospital para curar con leche su úlcera y preparar su casamiento con Beatriz Corcuera.

Hermana menor de Carmen, Beatriz, grande y bella, de ojos un poco más claros que los de Carmen, fue nuestra amiga toda la vida. Muchas veces nos acompañó al campo y salía a caminar casi a diario. Una tarde regresó muy contenta porque un señor se detuvo en la carretera para decirle:

—Me gusta mucho cómo camina usted, señora.

Raoul Fournier era el médico de cabecera de Cantinflas y me invitó a acompañarlos a Carito y a él a una cena en casa de Mario Moreno y de su esposa, Valentina Ivanova, hermana del cómico de origen ruso Shilinsky. Nos pasaron a dos salones, los hombres de un lado, las mujeres del otro. Los hombres entraban a saludarnos: "Buenas noches, señoras", y respondíamos al unísono: "Buenas noches, señor". Apenas me vio, Cantinflas me sacó a bailar. Lo hizo con una gracia enorme, igualito que en sus películas. Bailaba como toreaba. La gente nos hizo rueda. Durante toda la noche se dedicó a imitar mi acento con la *ere* francesa haciendo reír a sus invitados. Hijo de un empleado de correos, tenía doce hermanos. Recuerdo especialmente dos de sus películas: *El gendarme desconocido* y *Los tres mosqueteros*. En ese baile él fue mi caballero danzante. Cada vez que Raoul, Carito y yo nos dirigíamos hacia la puerta, Cantinflas nos alcanzaba para que volviéramos a entrar. Por fin, a las cinco de la mañana pudimos despedirnos porque Raoul tenía que estar en el hospital al día siguiente.

Apenas llegué a la calle de Berlín, la más joven de mis primas, Pita Amor, vino a verme. Pequeña de estatura, muy bonita, con un precioso cabello castaño-dorado, caía siempre en forma imprevista y durmió más de una vez sobre el canapé cama de mi recámara. Llegaba también de improviso a verme a Cuernavaca, en donde Mary Roberti me había prestado su casa para el fin de semana. Llegaba en taxi y se quedaba hasta mi regreso en carro con las niñas.

Dos amigos, el mismo Gustavo Pizarro y Alfonso Robina, tuvieron la idea de invitarnos a Pita y a mí a tomar con ellos clases de *bridge*. Quizá pensaron que así serían más divertidas. Se efectuaban en el Union Club del centro. El encantador profesor Díaz Cevallos giraba en torno a la mesa y sacaba de nuestras manos las cartas, porque se había dado cuenta de nuestra alegre incapacidad para la baraja al escuchar los jocosos comentarios de Pita.

Por ella conocí a Diego Rivera, quien me invitó a una excursión en su enorme camioneta. Diego nos enseñaba el campo y nos explicaba los beneficios de la soya. Su conversación era brillante y su personalidad agradable, no así el olor a cebolla y a ajo que se desprendía de su corpulencia. Cuando Pita me dijo que Diego quería hacer mi retrato, en parte porque el precio era de cinco mil pesos (acababa yo de comprar un Chrysler en siete mil) y en parte por miedo a toparme con el mismo olor, no acepté, cosa que ahora lamento, sobre todo por ti, Elena, porque sé que te hubiera gustado tener ese retrato.

A Pita la pintó varias veces y cuando en Bellas Artes se realizó una retrospectiva de Diego Rivera, expuso un gran lienzo en el que Pita posaba totalmente desnuda, con ojos a media asta parecidos a los suyos y a sus pies un largo listón azul cielo que decía: "Yo soy la poetisa Guadalupe Amor". El escándalo fue mayúsculo en la familia. Durante la inauguración, el presidente Miguel Alemán, sorprendido, se detuvo ante el cuadro y le preguntó a Pita por su significado. Ella con su habitual desenvoltura le respondió:

—Señor presidente, esta pintura no es del cuerpo, sino del alma.

A los cuarenta años tuvo un hijo, un bello bebé al que llamó Manuel, como su padre; Manuel Amor. Por desgracia, Pita no pudo hacerse cargo de él y le pidió a Carito que se lo llevara a su casa. Esto creó una situación penosa entre las hermanas, sobre todo para Carito, que se encariñó con el niño como con un hijo. El destino puso fin a este estira y afloja, porque un día en que Carito contestaba el teléfono, el bebé se ahogó en el estanque del inmenso jardín de San Jerónimo. Encontré a Carito y a Raoul tomados de la mano. Ella, doblada sobre sí misma, se estremecía por los sollozos.

Inés acogió en su casa a Pita, que no hacía sino repetirnos: "Te das cuenta, te das cuenta" y "A esa edad, a esa edad". Su cuñado, Bernardo Sepúlveda, el marido de tu tía Maggie, la atendió toda la noche con una paciencia infinita:

—Sí, Pita, sí, Pita.

La actitud de tu tío Bernardo siempre me resultó reconfortante. Volví a encontrar esta misma presencia tranquilizadora cuando vino a ver a mamá en el momento de su muerte.

La Sociedad de Arte Moderno

✿✿✿

L a Sociedad de Arte Moderno se fundó en 1944. Jorge Enciso, muy amigo de Bichette, era el director. La constituían más o menos cuarenta miembros de los cuales formaba yo parte. Desgraciadamente, por falta de fondos se disolvió a principios de 1948 y le siguió el Museo Nacional de Artes Plásticas creado por el Instituto Nacional de Bellas Artes. Entre las mujeres más importantes de ese comité estaban Carito y su hermana Inés Amor. Carito había creado la Galería de Arte Mexicano para ayudar a sus amigos pintores que no tenían local para exponer. La galería se inició en 1935 en el sótano de la casa familiar, en la calle de Abraham. González. Una vez que Carito salió de viaje dejó la dirección en manos de su hermana Inés y a su regreso se dio cuenta de que estaba mucho más dotada que ella para los negocios. Decidió pasarle la galería a Inés.

Las pocas mujeres que formaban parte de la Sociedad de Arte Moderno se encargaban de recibir a los visitantes.

Sentada en la mesa de la entrada, reconocí una tarde a Orson Welles y a Rita Hayworth que venían a ver la exposición de Picasso. Al responder a su saludo, le dije a Rita Hayworth cuánto la admiraba por su actuación y su belleza. Muy elegante, toda de negro, su rostro muy blanco bajo un sombrero con un velito, me lo agradeció, cortesmente fatigada. Orson Welles, en cambio, se sentó en mi mesa gustoso para escribir en el libro de los visitantes un párrafo entusiasta. Noté la facilidad y precisión con la que lo hacía. El contraste entre los dos me resultó significativo: él, fogoso, lleno de personalidad, ella, desencantada, hacía las cosas como por obligación.

Entre mis amigas del comité, Luisa, la Güisa Lacy, casada con Tomás Gurza, era la más cercana. Me fijé en ella la primera vez por su perfil de estatua griega y sus grandes ojos verde-agua. Estábamos en un coctel en casa del señor Sánchez Fogarty, que para mi gran sorpresa dirigía la orquesta ante su aparato de discos. La Güisa me explicó que ésa era su costumbre. Como también formaba parte del Club Hípico Francés la veía muy seguido, así como a Luis Barragán, Fernando y Susana Gamboa, Marilú Fernández del Valle, Justino Fernández, autor de un bello libro sobre José Clemente Orozco, el "gringo" del Moral y su mujer, y el encantador Teodoro Kunhard. Todos ellos formaban un grupo alegre y simpático.

Muy amiga de José Clemente Orozco, la Güisa me llevó a visitarlo al Hospital de Jesús en el centro, en donde pintaba un fresco inmenso bajo la cúpula. Él nos hizo subir por una escalera hasta el andamio. Nos pareció todo perfecto hasta el momento de bajar, cuando creí morir de vértigo al tener que poner el pie sobre una tabla en el vacío. Estaba bañada de sudor frío. Nunca regresé a esa iglesia y me gustaría hacerlo para ver de nuevo el fresco de Orozco.

Conocí a Orozco cuando Amelita Martínez del Río abrió un pequeño restaurante en la calle de Gante. Para esconder la puerta que llevaba a la cocina, Orozco le pintó, en blanco y negro, un biombo preciosísimo que representaba a París. Debió ser en 1927, durante mi anterior viaje a México, cuando ayudé en las finanzas de ese pequeño restaurante en el que podían comerse tres platillos por un peso cincuenta centavos. Ésa fue, sin duda, la razón de su fracaso.

Mi primo, Felipe Subervielle, y Manuel Rodríguez Lozano me enseñaron una noche los cabarets populares del centro: El tranvía y la plaza Garibaldi en la que nos rodearon los mariachis cantándonos y rasgueando su guitarra mientras bebíamos tequila. Me impresionó sobre todo el Salón México, en el que bailé el danzón en un espacio de 40 centímetros cuadrados.

Unos días más tarde Felipe vino a buscarme para ir a la cárcel de Lecumberri a ver a Manuel Rodríguez Lozano. Lo habían apresado por la desaparición de unos grabados de Alberto Durero, ya que Manuel era director de la Academia de San Carlos. Le llevé un pollo rostizado, pero no lo encontré ni hambriento ni desmoralizado.

Carito me contó que mi tío Paco venía con frecuencia a verla cuando tenía la Galería de Arte Mexicano. Le hacía regalitos: una vez le llevó clavos para colgar sus cuadros. Un día le dijo: "Sus papás son muy tontos; les he pedido su mano explicándoles que así le daré a usted la felicidad y además la libertad para pecar... pero no comprendieron". En otra ocasión le pidió que la acompañara a ver un mural de Manuel Rodríguez Lozano pintado en la casa que Paco le había prestado en la calzada de Tacuba. Allí, en medio del silencio y después de contemplar la pintura, Paco ordenó:

—Que traigan un bote de pintura blanca para borrar todo esto…

El pintor Nefero, amigo de Manuel, quiso hacer mi retrato. Podría yo pagárselo en mensualidades. Evidentemente necesitaba dinero. Mi tío Paco, que protegía a los pintores, lo vio y no me comentó nada. Este retrato se encuentra hoy en casa de mi nieto Santiago.

Mamá no era mundana y no le gustaba recibir gente. De vez en cuando invitaba a sus amigos al té. Con un poco de insistencia, logré convencerla de que diera un gran coctel en la casa de Berlín, que se prestaba tan bien para ello y que la mayoría de mis amigos no conocía. Mi tía Mic, rumana, me pidió que invitara al rey Carol y a la señora Lupescu, y me dictó una carta para ellos. Mamá decretó que no quería conocer a la señora Lupescu y, por lo tanto, no asistiría al coctel. Con su sombrero de carrete en la cabeza y los guantes puestos, saludó a los primeros invitados y se fue sola al cine. Iba mucho al cine sola. El rey Carol, la señora Lupescu y el canciller Urdariano vinieron acompañados por una rubia muy guapa y su marido francés a quien había yo conocido en casa del rey. Me pidió que la presentara con el ministro Newman, de Polonia. Al dirigirse a él le dijo:

—*Monsieur le ministre, je suis poulonaise.*

Su marido, Alex Berger, que más tarde se casaría con María Felix, le dijo:

—*Ma chérie, tu ne sais pas comme tu as raison.*

(—Señor ministro, soy pulonesa.

—Querida, no sabes cuánta razón tienes.

Poule, en francés es la dulcificación de la palabra *puta*.)

Mi amigo, el pintor José Clemente Orozco, a quien quería yo mucho, examinaba con ojos chispeantes a la numerosa concurrencia.

Estaba contenta en la reunión con mis amigos cuando vinieron a avisarme que me llamaban en la puerta. Dos reporteros pretendían hacer la crónica de la recepción. Les dije que no deseaba publicidad alguna y no podía recibirlos. Se vengaron publicando un artículo en el cual afirmaban que yo era "una de esas princesas trashumantes de las cuales no se sabe de dónde vienen ni a dónde van".

Lo mismo sucedió en el Club Hípico Francés cuando quise ser miembro. La Nena Legorreta de Prévoisin me prestaba amablemente su caballo. Mi amigo Luis Riba me contó después que los franceses del comité, que no me conocían, habían rechazado primero mi solicitud de membresía diciendo que no había ninguna razón para admitir a una princesa rusa. Luis les aclaró que el tío de Johnny, el príncipe Carlo Poniatowski, había sido el fundador del Club Hípico Francés y del Jockey Club.

A mí me gustaba mucho montar, sobre todo a campo traviesa, y tu padre fue un jinete consumado, aunque al venir a México ya no quisiera hacerlo, a pesar de que yo seguía perteneciendo al Club Hípico Francés. Claude Le Coeur me escribió que en 1926 coincidió con él en sus cursos de alta escuela. Decía que:

[...] atraído por la belleza de los caballos que aún no habían desaparecido por completo de las ciudades y de los campos (eran aún la más bella conquista del hombre), pedí la dirección del Escuadrón Francés. Fui a la dirección indicada. Las oficinas se encontraban arriba de un inmueble. Me precedió un señor entrado en años y pasé tras de él. El señor se presentó: príncipe Ponia-towski y les explicó a los oficiales que venía a inscribir al más joven de sus hijos: "Este muchacho —explicó— por culpa de una moto, ¡ya saben ustedes cómo es la juventud de hoy!, ha olvidado el arte de montar a caballo que aprendió muy joven. Tiene que volver a empezar".

Así fue inscrito en el Escuadrón Francés el joven Jean Poniatowski y algunos instantes más tarde, el joven Claude Le Coeur.

Los dos recién llegados se conocieron el domingo siguiente en el cuartel Dupleix y adquirieron la costumbre de ejercitarse juntos, tan es así que los maestros confundían sus nombres y al uno con el otro. Todo principio es difícil y las raras veces en que monté a Flainville, Patrick o Rebecca no logré nada; por el contrario, Jean Poniatowski recordaba sus pasadas enseñanzas mucho mejor de lo que decía su padre y era un jinete consumado.

A lo largo del entrenamiento, ya fuera en el picadero o en el campo de obstáculos, nos confundían y los dos jóvenes jinetes recibíamos la felicitación:

—Bravo, Le Coeur.

Inútil decir cuán vejatorio para uno y humillante para el otro que equivocaran nuestros nombres. Para mí era un acicate y así juré igualar a Poniatowski. La vida se me iba en ello.

En la caballeriza había un caballo grande y bello, un fantasioso que sólo hacía sus caprichos. Los monitores lo sacaban algunas veces para demostrar su valor en una exhibición de cabriolas y reparos. Enseñaban cómo se doma una montura difícil.

Este caballo llevaba el bello nombre de Diamante negro. Cuando sentí que ya era un jinete pasadero decidí que el "Bravo, Le Coeur" me fuera por fin verdaderamente atribuido. Con cierta audacia reclamé montar a Diamante negro. Entrenadores y camaradas montaron no sin cierta ironía sobre sus respectivos caballos y me esperaron en círculo a la salida. Llegué montado en mi soberbio semental y he aquí que empieza el gran juego. Diamante negro se levanta sobre sus patas traseras luego sobre las delanteras, repara y lo hago girar para que vuelva a levantarse frente a los distintos puntos del círculo. El jinete, a fe mía, no se defiende mal y recibe las felicitaciones muy merecidas de la concurrencia. Pero, ¡*hélas*!, escucho:

—¡Bravo, Poniatowski!

Elena, Elena, me preguntas muchas cosas. De niñas, tú y Kitzia, me celaban mucho, sobre todo tú, pequeño cancerbero, querías saber a dónde iba, cómo, cuándo, con quién, cuánto tardaría, a qué horas regresararía. ¿Recuerdas a Fernando, el policía que me detuvo un día en la calle de Madero para levantarme una infracción? Al saltar dentro de mi automóvil me preguntó a dónde iba. "La acompaño a la escuela a recoger a sus hijas", me dijo.

Tú y Kitzia se miraron entre sí sorprendidas al verme con un policía muy guapo que después nos acompañó hasta la casa. Naturalmente, le ofrecí una copa. Tiempo más tarde, ustedes me platicaron que había venido a dejar un regalo de frutas cristalizadas. Nunca regresó y nos dejó la imagen de un policía guapo y simpático.

En otra ocasión me recibiste con cara malhumorienta y me entregaste una bolsa de piel de cocodrilo:

—Un señor alto y rubio vino a dejarla para ti.

Te expliqué que era Freddy Mac Avoy, a quien le había yo ganado seiscientos pesos en el *gin rummy*, en Acapulco. No sé quien lo había presentado a nuestro grupo de amigos, pero una noche en la que estábamos en el cabaret de Teddy Stauffer escuchamos al Chato Elízaga gritarle:

—¡Tú no eres más que un padrote, macró, vividor!

Entonces, para nuestro gran asombro, Chato, bastante borracho, le dio un puñetazo y Freddy, el hombre fuerte, quizá aún más borracho, rodó por el suelo.

No sé qué clase de aventurero era. En los periódicos se publicó la historia de su barco —quizá de contrabando— que había naufragado frente a la costa africana en el curso de una tempestad. Freddy logró salir a nado pero regresó a salvar a su mujer y ambos se ahogaron. Si fue un aventurero, al final rescató su vida con una bella muerte.

Tuve otro amigo a quien también mirabas con desconfianza, Richard Gully, guapo y distinguido, muy parecido a Anthony Eden porque era su primo hermano. Su hermano mayor heredó el título de lord y la fortuna familiar. Richard era solo "Gully". Era sumamente elegante, a pesar de las críticas de los mexicanos, que decían que tenía un solo traje porque siempre se veía igual. Richard Gully llegó a Acapulco en el yate de la condesa Di Frazzo, estadounidense, casada o viuda de un italiano. Tal parece que en ese yate se cometió un crimen que nunca se aclaró. Richard Gully, fanático de Hollywood y del mundo del cine, llegó a México en yate y primero lo vimos salir con Hilda Kruger, bella espía alemana. La gente comentaba que Richard pertenecía a la FBI. Lo cierto es que estuvo en la guerra, llegó a Normandía poco después del *Día D* y todavía el 14 de julio de 1944 me escribió acerca del mal tiempo, las bombas, las balas y el horrendo olor de los cadáveres.

Éste es un lugar horrible, la gente se está matando. Sufro considerablemente de artritis en ambos codos, que en este momento traigo vendados. Pero claro, todavía estoy en acción, simplemente soy demasiado viejo para tantos días de campo. Como pertenezco a la sección de víveres de mi batallón, voy a muchísimas partes y he estado en casi toda la península de Cherbourg, que es verdaderamente interesante, pero no creo que Normandía sea el mejor lugar para mi veraneo. Demasiado ruido. Sin embargo, si los rusos llegan a Berlín, creo que la guerra puede terminar en agosto. Al menos, eso espero.

Ahora he descubierto todo lo que quiero saber sobre la industria cinematográfica francesa y estoy listo para regresar a Hollywood. El más popular de los *stars* franceses en estos días (papeles románticos, claro está) parece ser Pierre-Richard Willm, y entre las mujeres, la *top star* es Renée Saint Cyr. Actúan juntos en *La mujer perdida* que tuvo un éxito tremendo el año pasado. El éxito mayor de este año es Gaby Morlay en *Le voile bleu* (*El velo azul*). También es buena *Les inconnus dans la maison* (*Los desconocidos en la casa*) con Raimu, y una comedia acerca de la vida en el ejército francés: *Narcisse*, con Rellys. He conseguido una gran cantidad de información acerca de las películas alemanas que se han exhibido en Francia. El ejército estadounidense capturó una película alemana en Cherbourg. Era *La folle etudiante*, en la que actuaba Jenny Jugo.

Lo más molesto son las tropas alemanas en la noche. Si estás despierto puedes oírlas acercarse. Sus motores hacen un ruido distinto a los nuestros. Pero si estás dormido, es una sensación extremadamente molesta sentirse despertado por un ruido terrible. En ese medio segundo en que escuchas el ruido de los rifles disparados junto a ti, no puedes saber si son los tuyos o los del enemigo. Lo primero que hago siempre es tomar mi casco de fierro, tirarme al suelo y retener la respiración hasta que el fuego empieza a disminuir.

Casi toda la gente duerme en las loberas en el frente. Lo hice las primeras cuatro noches en Francia pero desgraciadamente les tengo fobia crónica; es como estar en una tumba. Así es que ahora siempre duermo sobre la tierra y rezo *for the best*. Al menos estoy más cómodo así. Claro que es un poco desagradable cuando un avión alemán vuela bajo.

Todavía tengo el San Cristóbal que me regalaste. Nunca lo dejo y sé que me va a proteger.

A Richard le sentaba mal ser militar. Apasionado por la astrología hizo mi horóscopo y me aconsejó seguir la influencia de los astros. Por ejemplo, si Marzo transitaba sobre el sol de Geminis, podía ser nocivo para mí. Escuchaba yo distraída sus inútiles temores. Una vez me escribió:

Hay una gran historia en tu vida, entre más pienso en ti más pondero si es sólo el modo en que el destino planeó tu vida o una profunda comprensión sicológica interna que te hace apta en el arte de ser tan fundamentalmente deseable.

En 1952, en la casa de Jack Warner en Hollywood, el cónsul de Francia condecoró a Richard Gully con la Legión de Honor a título militar. Quique Corcuera lo visitó en Beverly Hills y me contó que seguía llevando la misma vida mundana que acostumbraba en México. Ahora salía con las estrellas de cine.

No volví a saber de él.

"Bello ejemplo de valor y de modestia"

✿✿✿

En diciembre de 1941 viajé a Nueva York para ver al coronel Sosthenes Behn, director de la ITT. Muy amable me dijo que podría darle trabajo a Johnny en Cuba o en México cuando lo desmovilizaran. Salté de alegría.

—Naturalmente, México.

Vivía yo en casa de tu tía Lydia, en Garden City, a dos horas de Nueva York. Al regresar de la boda de Fernando Corcuera con Mary Achesom, tomé el Metro en la noche. El contralor me preguntó:

—*Lady, where are you going?*

—*To Garden City.*

—*Not on this train.*

—*Then, where am I going?*

—*To Brooklyn.*

Descendí en la siguiente estación. Dos señores me ofrecieron compartir su taxi. No hablaban y ocultaban su rostro tras el sombrero. Sentada entre ellos no me sentí segura. Mis tres hileras de perlas, mi abrigo y sombrero de piel llamaban demasiado la atención. No pasó nada. Cuando bajó cada uno y me dejaron sola con el chofer, éste se volvió locuaz:

—*Where do you come from?*

—*Mexico.*

—*So you are a hot tamale?*

Me propuso venir por mí los domingos para salir juntos. Le respondí que tenía que regresar a México.

En marzo de 1942 el coronel Behn me envió un telegrama desde Nueva York:

Acabo de recibir el siguiente mensaje de Johnny: "Aprecio su propuesta, pero en vista del trabajo que he asumido aquí considero mi deber quedarme. *Stop.* Si las circunstancias lo permiten, con gusto tomaré la oportunidad que su bondad me ofrece."

Tal parece que Johnny está haciendo un buen trabajo y temo que tendrá usted que ser paciente. *Stop.* Por favor hágame saber si puedo serle útil en cualquier momento.

Saludos,
Sosthenes Behn

Entre tanto había podido comunicarme con Johnny a través de Lyon, en donde el laboratorio de Materiales Telefónicos tenía una oficina. Ese medio de comunicación se volvió imposible cuando Francia entera fue ocupada por Alemania. A través de España y de Suiza, recibí cartas de Bichette y de Johnny gracias a Emilia Arrivabene en Lausana y a Rixie Zuboff en Argentina.

A tu tío Stan, el mayor de los cuatro Poniatowski, lo llevaron preso a Berlín. Philippe Poniatowski, su hijo, escribió al respecto:

En esa época, papá era director general de la Sociedad Hispano-Suiza. Después de la debacle y la firma del Armisticio, las autoridades alemanas solicitaron que la Hispano-Francesa participara en la producción de las armas necesarias al ejército alemán para proseguir la guerra contra los aliados. El Consejo Hispano-Suizo rechazó esa demanda inaceptable y papá fue el encargado de transmitir la negativa a las autoridades alemanas de ocupación.

La reacción fue rápida y definitiva. Acusaron a papá de sabotaje, lo arrestaron y lo encerraron en la cárcel de La santé. Al verlo entrar, el carcelero le ofreció disculpas:

—Ah, señor príncipe, si hubiera sabido de su llegada le mando poner sábanas limpias.

Papá tuvo el privilegio de ser uno de los primeros civiles franceses encarcelado por los alemanes en agosto de 1940. Dieudonné Coste, el aviador, uno de los colaboradores de papá y un gran amigo, hizo todo lo posible por obtener su liberación pero no tuvo éxito. Ni siquiera mamá tenía derecho a visitarlo.

Permaneció varias semanas en La santé. Un día le informaron a Coste que papá ya no estaba allí, pero no pudo enterarse a dónde lo habían mandado. Coste le dio entender a mamá que a Alemania, aunque no tenía ninguna prueba.

Tres meses más tarde, en Arcachon donde vivíamos a causa de la guerra, mamá fue convocada a la alcaldía para recibir una llamada telefónica. En esa época el número de líneas era muy limitado. Los alemanes se habían apropiado de más de la mitad de la red telefónica, de por sí muy mala. La llamada era de Coste para anunciar que papá había sido liberado y pronto vendría a Arcachon.

Tuvimos que esperar varias semanas antes de escuchar de su boca lo que le había sucedido. Después de "La santé" lo trasladaron en tren a Alemania, resguardado por dos oficiales de la Gestapo, sin cinturón, sin tirantes, sin agujetas. En Berlín le notificaron que lo juzgaría un tribunal militar presidido por el general Hudet Von Richthofen, quien había sido uno de los ases de la aviación alemana en la Primera Guerra Mundial. Para papá fue una buena noticia, porque en 1938 conoció al general von Richthofen en París cuando era huésped del gobierno francés. La segunda buena noticia fue que en la audiencia todos se dieron cuenta del insuficiente francés del intérprete. Papá propuso que sus audiencias se llevaran a cabo en inglés. En ese momento le fue presentado un CDT alemán que hablaba el más perfecto "americano". Vivía en San Francisco y había llegado a Alemania para cumplir con sus obligaciones militares, conocía muy bien a los Crocker y jugaba al polo en el mismo equipo que Uncle *Bill*. Ese encuentro facilitó las cosas. Finalmente, el tribunal no sostuvo la acusación de sabotaje, sino la de "acto de mala voluntad hacia el gran Reich", y prohibió que papá ejerciera cualquier actividad profesional. Ordenó que se le asignara como prisión la casa que él escogiera: arresto domiciliario. Después de indicar Arcachon a las autoridades alemanas, papá pasó cinco largos años de total inactividad. Nacido el 31 de agosto de 1895, festejó sus cuarenta y cinco años en la cárcel. De esos cuarenta y cinco años, seis eran de guerra, cuatro en Francia, en la infantería, de 1914 a 1918; dos en Polonia, de 1918 a 1920, con la misión, asignada por el general Weygand, de asesorar al ejército polaco en contra los bolcheviques. Cuando volví a verlo, recuerdo que me impresionaron sus cabellos blancos. A otros les hubieran salido canas por menos. Tuvo un tercer golpe de suerte cinco años más tarde. Preso en su casa de Arcachon, los alemanes quisieron deportarlo. Papá dependía de la Gestapo de París y no de la de Bordeaux. Justo antes de la liberación, y ya para replegárse, los alemanes formaron cuerdas de deportados de última hora y pocos franceses se salvaron. Arcachon tuvo su tren de deportados y papá estaba en muy buen lugar en la lista, pero la Gestapo de Bordeaux no quiso responsabilizarse de embarcarlo y esperó una instrucción formal de la Gestapo de París. La respuesta no llegó y el tren salió sin papá.

Así terminó un periodo trágico en su vida activa.

El 19 de julio de 1943 Mother moría en Les Bories de un paro cardiaco. ¡Cuántas veces la había yo visto llevar su mano hasta su corazón adolorido! No consultaba a médico alguno y cuando tenía una inquietud por la salud de sus nietos enviaba un telegrama a Kansas City, a la Christian Science, de la que era miembro, para pedir oraciones. Ese día, y seguramente bajo el sol, subió acompañada por tu prima Constance a casa de madame D'O, quizá en busca de un queso. En 1948, cuando hicimos nuestro viaje a Francia, le pregunté a madame D'O sobre ese final imprevisto y me respondió:

—Se dejó ir.

Me gustó esa frase que indica una sabia manera de morir.

A pesar de la ocupación alemana, en el laboratorio de Materiales Telefónicos de la ITT fue posible fotografiar en microfilm, estudios acerca del radar, sistemas de detección antisubmarina, transmisión en ondas ultracortas, nuevos materiales para la fabricación de lámparas de radio, *quartz* sintéticos, y enviarlo todo a Estados Unidos a través de Inglaterra y España. Pero el Servicio Secreto alemán se enteró de que el laboratorio había hecho esas investigaciones de vital importancia, e ingenieros y policías llegaron a interrogar a tu papá.

En la rue Casimir Périer Johnny tuvo que someterse a un cateo militar alemán. Buscaban en su casa una radioemisora. Felizmente, la valiente Marguerite tuvo la idea de sacar de entre las camisas de Johnny el revólver y esconderlo en la bolsa de su delantal.

Interrogado por segunda vez bajo los reflectores de la Gestapo acerca de su actividad, la de su hermano Andrés, entonces en Inglaterra, y la de Stan y Cash, tu papá se dio cuenta de que los alemanes sabían hasta que Cash era dueño del castillo de Le Rouret en el Midi. Los cuatro hermanos Poniatowski estaban totalmente fichados. En la ITT revisaron toda la documentación.

Los alemanes tuvieron que soltar a Johnny por falta de pruebas.

Después de ese último cateo, Johnny que se mantuvo en comunicación con el grupo Segonzac para alcanzar el convoy Janvier, bajo las órdenes del capitán Hardouin, se preparó para salir a España.

Ya sin Mother, no tenía la preocupación del dolor que podía causarle. Viajó a Tarbes en donde la Sociedad Hispano-Suiza tenía una casa. Madame Francette Sauvy tuvo la gentileza y la habilidad de esconderle unas monedas de oro en la bastilla y de coserle otras en vez de los botones de su saco y así, vestido con su traje de calle príncipe de Gales, Johnny se dispuso a cruzar a pie los Pirineos.

Copio de la minúscula agenda de Johnny:

29 de septiembre de 1943

Estoy fregado. Es cosa del hígado. Ojalá y todo salga bien.

30 de septiembre

Salimos para Pau a las ocho. Estoy muy fregado y espero no enfermarme.

1 de octubre

Peregrinación a Lourdes, solo. Rezo por familia y los que amo.

La salida ha sido retrasada ocho días. Mejor para mí, dado mi estado de salud, aunque la decepción es general. Decido quedarme tranquilamente a descansar.

4 de octubre

Llamo a Philippe de Villeneuve. Tomo el tren para encontrarlo y vamos a comer a Bourgabé. Veo a Thérèse en plena forma. Hablamos de Paco. Regreso a Pau y compro bolsa *camping*.

5 de octubre

Fui a Lourdes con Babou y comimos en La Rotisserie Marsellaise. Me estoy entrenando. Pico del Gère y Piest. Las montañas me parecen muy altas y mi respiración no es de las mejores. Al subir al Pico del Gère, palpitaciones. Todo irá bien porque así debe ser.

6 de octubre

13 horas. Aldée, mi cuñada, regresa a Arcachon.
20 horas. Llamo a papá. Parece molesto por mi partida.

7 de octubre

13 horas. Regreso de mi hermano Stan de Les Bories. Me llama para decirme que papá está bien de salud.
15 horas. Tomo taxi para Pau con Bucailles.

8 de octubre

22:30 horas. Salida. Caminamos toda la noche…

9 de octubre

… y todo el día.
18 horas. Llegamos albergue para pasar la noche.

10 de octubre

19 horas. Después de haber caminado todo el día y pasado estacada, hacia las dos de la mañana atravesamos río y permanecemos escondidos en los bosques hasta siete de la mañana.

11 de octubre

Llegamos frontera a las 17:30 —tiempo espantoso—. Más tarde nos enteramos de que aún estamos en Francia.

12 de octubre

Llegamos medianoche río Ebro con luna llena y buscando la ruta de Confrans a Sallant. Atravesamos esa región hacia las dos de la mañana sin dificultad. Extenuados, dormimos una hora bajo los árboles, pero a causa del frío volvemos a emprender la marcha a las tres. Compramos víveres y bebemos un excelente café con leche. Caminamos hacia Viescas y después de lavarnos en el río, dormimos de las once a las dos. Seguimos ruta con la esperanza de alcanzar Sabiñanigo. 16 horas. Tomamos en Escarilla un camión para Viescas pero nos arresta la policía de Sallant. Dormimos hotel Buenavista en Viescas. Buena cena y después de haber dormido, prometemos no salir. Es la fiesta del Pilar y la música en el altoparlante hace que la gente baile frente al hotel. Bebemos dos rondas con los policias que nos arrestaron.

13 de octubre

8.30 horas. Salida Viescas para Jaca donde llegamos a las once treinta. Interrogatorio de la policía, foto de identidad con placa y número y huellas digitales de las dos manos. Luego, de nuevo interrogatorio, somos transferidos a la policía aduanal para interrogatorio sobre la situación militar en Francia, luego transferidos definitivamente cárcel de Jaca en la que después de otro interrogatorio y cateo, nos dan de comer gracias a la Cruz Roja. Degustamos los alimentos en el patio ocupado por presos políticos. Nos rasuran el cráneo. Juego un partido de damas que gana Rebut. A la hora de la sopa de la noche recibimos la visita de Lamy, que nos dice que el señor Larrieux, cónsul de Francia en Zaragoza, se va a ocupar de nosotros. Prometió comunicarse con Lamy y llamarle por teléfono a Louis Birkigt. Nos encierran en la celda a las 7:30, pero a las 11:30 llega el grupo faltante de los obreros de Bucaille, así como Hertzog, perdido durante diez días en la montaña, y que llega con los pies congelados.

Durante la noche, nos hacen un cateo completo, hurgan dentro de nuestra estera de paja, nos quitan diferentes cosas. Los policías nos han despojado de quinientos francos más cincuenta pesetas.

14 octubre

6 horas. Despertar.

7:30 horas. Salida para Zaragoza.

10 horas. Tenteenpié en el tren.

11:30 horas. Atravesamos Zaragoza, cinco kilómetros, esposados.

12:45 horas. Cárcel. Cateo. Me toca la celda número 12 con siete polacos y un alsaciano. No hay agua para lavarse —chinches— no hay cobija ni cuchara.

19 horas. Sopa.

20 horas. Inspección.

21 horas. Extinción luces.

15 de octubre

6 horas. Despertar.

7 horas. Jugo de bellotas.

11 horas. Toma, por tercera vez, de huellas digitales.

12 horas. Sopa.

Recibimos doscientos gramos de pan a las once horas cada mañana. Agua gris. Todavía no tenemos dinero para comprar algo adicional.

17 horas. Nos cambian de celda y nos ponen con cuatro franceses.

Sin cuchara, ni bacín, ni cobija. Las reclamaciones no sirven de nada porque no hay suficiente material.

16 de octubre

Esperamos cónsul de Francia pero parece que es la Cruz Roja quien va a ocuparse de nosotros. El cónsul no quiere molestarse.

17 horas. Ducha.

17 de octubre

Je voudrais acheter—Quisiera comprar. / *Je voudrais une chambre*—Quisiera una habitación. / *Voulez-vous coucher avec moi?*—¿Querría acostarse conmigo? / *Je voudrais plus de viande bien cuite*—Quisiera más carne bien cocida. / *S.V.P.*—Por favor. / *Vous êtes jolie*— Es usted muy bonita. / *Papier*—Papel. / *Encre*—Tinta. / *Jambon*—Jamón. / *Poisson*—Pescado. / *Oeufs*—Huevos. / *Pain*—Pan. / *Coiffeur*—Peluquero. / *Fromage*— *Chieso.*

19 de octubre

Hoy cumplo cuarenta y seis años y es la primera vez que paso mi cumpleaños en un calabozo. [Aquí, Johnny, comete un error; cumplía 36 años].

14 horas. Pudimos comprar víveres gracias al adelanto de veinte pesetas prestadas por Latour sobre la venta de su pluma fuente Parker.

Gran disciplina en esta cárcel que es disciplinaria.

20 de octubre

Siempre en la celda. La sopa es la misma y se compone de arroz, papas y ejotes, pero es caliente y buena. Los internos que se quejan son unos idiotas.

12 horas. Hardouin abrió su última lata de sardinas.

13 horas. Parece que son veintidós en la celda de enfrente.

14 horas. Hemos logrado comunicarnos con dos oficiales holandeses que llevan noventa días en España, evadidos de Polonia, Suiza y Francia.

Envío tarjeta a Louis B. recordándole mi mensaje del 14 esperando que le haya avisado a Miguel Mateu.

18 horas. Compramos un kilo de plátanos. Nos tocó un plátano por cabeza. Qué bueno estuvo.

19 horas. Somos doce en la celda. Huele mal. Imposible

dormir. [Johnny me contó que por falta de espacio dormían de pie].

Con nuestras cabezas rasuradas y nuestras barbas de diez días parecemos condenados a muerte. Quiero conservar la barba pensando en una foto para cuando salga, si es que salgo, pero el reglamento de la cárcel prohíbe la barba.

21 de octubre

Todavía en el calabozo. No he visto al "repre" de la Cruz Roja.

10 horas. Nos van a dar tabaco, sólo se habla de eso en el calabozo 5.

11 horas. El peluquero insistió en rasurarme el bigote.

13 horas. Estamos en la cárcel desde el jueves 14, la moral de la celda de Bucailles anda baja. La nuestra (celda 5) es mejor.

14 horas. Desde hace tres días hacemos gimnasia a las tres después de la siesta pero la celda es verdaderamente muy pequeña.

16 horas. Pudimos quedarnos algunos minutos con las puertas de la celda abiertas.

17 horas. Ducha.

18 horas. Ha cambiado el menú. La sopa no tenía ejotes.

19 horas. La Cruz Roja nos repartió 35 pesetas. Pagué cigarrillos, 5.80, debo 0.80 a Claude y a Rebut.

21 horas. Los dos holandeses recibieron visita de su consul; nada de Francia.

22 de octubre

12 horas. Nos cambian de la celda 5 y nos ponen en un salón donde somos 236. Ducha. Patio de 13 a 16 horas. Sol. Muy agradable.

Según los rumores, los franceses se comportan mal,

además, la mayoría ha huido de Francia y aspira a una tranquilidad temporal en España. Si esto es verdad, es lamentable y los españoles tienen razón en tratarnos como a presos comunes. Hacia las 10 de la noche hay que apretarse para hacerles lugar en la celda a 18 españoles.

23 de octubre

Deberíamos tener noticias. Estoy castigado porque tomé por error un plato que no era el mío. Lo devolví. Tenemos que apretarnos de nuevo para que quepan 11 franceses. Doy una camisa y un calzón a lavar.

28 de octubre

20 horas. Salgo de la cárcel gracias a la intervención amistosa del señor Valverde, cónsul de Gran Bretaña. Vivo en el Hotel Arana.

Descifré el relato de Johnny en su minúscula agenda con una lupa. Acerca de esa travesía me contó que a medida que iban subiendo por la montaña tuvo que tirar conservas que se habían vuelto demasiado pesadas en su bolsa de *camping* y que uno de sus compañeros, que ya no podía más, les pidió que lo abandonaran. Ninguno aceptó y entre todos lo cargaron. Durante su encarcelamiento, lloró una vez de rabia contra Claude Hardoin, a quien no le picaban las chinches. Cuando tu papá se equivocó de plato, la fajina consistió en lavar los excusados: "Tenía los brazos metidos en la mierda hasta el codo."

A la hora del saludo a la bandera, en vez de gritar: "Viva Franco!" tu papá gritaba: "Viva *salaud*" (cerdo), y los vigilantes no se daban cuenta.

La primera noche en el Hotel Arana, el cónsul de Inglaterra tuvo la extraña idea de prestarle a tu papá un smoking para llevarlo a un baile y presentarlo a su familia. Johnny, debilitado por su encarcelamiento por poco y se desmaya. Puesto que estaba bajo arresto domiciliario, tenía que presentarse ante la policía todos los jueves a las 7:30 de la mañana.

El 11 de noviembre, después de hacer acto de presencia en la comisaría, asistió a una misa por Francia en San Martín y esa misma noche el cónsul le anunció que tenía permiso de viajar a Madrid. De acuerdo con su agenda, el 12 de noviembre le envió flores a la señora Valverde y abandonó Zaragoza a las 22:15.

En Madrid, el 14 de noviembre se compró el siguiente guardarropa: un saco de pana café oscuro, un pantalón gris clásico de franela, zapatos, un saco militar sin galones, dos camisas y dos corbatas.

Encontró a su amigo Gregory Thomas en la embajada de Estados Unidos y comió el 22 de noviembre en el Ritz con Chita Anchorena. A los huéspedes debió intrigarles ver a la duquesa de Fernán Núñez en *tête-à-tête* con un ex prisionero con el cráneo rasurado.

El 26 de noviembre dejó Madrid. Recibí un telegrama de Miguel Múgica: "Tengo noticias de que Johnny está muy bien pero no sé el lugar exacto donde se encuentra".

Múgica también trabajaba en los laboratorios de la Commercial Cable.

El 29, salió a las ocho de la mañana para África francesa y al llegar a Casablanca, el 6 de diciembre, la Securité Militaire lo envió a Argel en avión. Su hermano André lo esperaba en el aeropuerto. A partir de ese momento tuvo una intensa vida social, ya que su agenda registra comidas con el general Giraud, con Gastón Palewski, con el príncipe de Mérode. A Dick de la Rosière le entregó un mensaje para mí, en el que me comunicaba que se dirigía a una región en Italia cercana a donde estaba Bichette, mi hermana.

Hasta el 2 de enero del año siguiente, su agenda está apretada de nombres. Encuentro una invitación a comer el 6 de enero 1944:

El general del ejército, miembro del Comité Francés de Liberación Nacional, gobernador general de Argel, y madame Georges Catroux le ruegan al teniente señor Jean Evremont Poniatowski hacerles el honor de asistir el sábado 8 de enero a las 13:30 a una comida.

Detrás de la tarjeta, Johnny escribió:

Presentes: lady Duff Cooper, embajador, general Girault, madame Juin, coronel Simon, Elizabeth de Breteuil, princesa de Lignes, princesa Galitzin, André Ponia (su hermano, JEP: sus iniciales).

El 15 de diciembre me envió una carta en inglés que llegó seis meses después, el 22 de junio de 1944, en la cual la palabra Argel está recortada por la censura. La dirección a la que debía yo escribirle era: Code 2677, Headquarters Company, APO 512, Care Postmaster, New York. Decía:

Cuando llegué a Casablanca, el 5 de diciembre, encontré una situación muy confusa. No tengo la suficiente experiencia política para analizarla, pero sí el suficiente sentido común para abstenerme de comentarla. Por lo tanto estoy contento y orgulloso de ser un oficial francés a quien le dan la oportunidad de seguir peleando sin demora al lado de nuestros amigos americanos. Dentro de poco estaré combatiendo.

Tu primo hermano Philippe Poniatowski lo vio en África y me escribió:

Tenía por ese tío, oficial francés, 16 años mayor que yo, la más grande admiración. Al trabajar con los americanos ponía gran énfasis en su situación de oficial francés y nunca se quitó el uniforme de los ejércitos motorizados franceses que llevaba puesto en Argel. Tenía la sorprendente facilidad de hacer amigos en todos los medios y en las circunstancias más variadas. En su peligroso oficio — voluntario— no era supersticioso pero buscaba con mucho cuidado no provocar al destino. Un día que estábamos encima de la Kasbah de Argel con uno de sus amigos, Taittinger que había sido piloto de Giraud, un árabe sentado en un escalón leía la suerte en la arena y nos llamó:

—Vamos a ver lo que nos va a suceder —propuso Taittinger.

El árabe le anunció un gran peligro muy cercano.

Yo estaba turbado. Felizmente la idea de interrogar al árabe había sido de Taittinger. Escuché al tío Jean decirle a su amigo:

—No te preocupes, Totó, esta gente sólo conoce de camellos. Por eso, para él, un avión resulta peligrosísimo.

Ocho días más tarde, en su avión cargado de medicamentos con destino a Italia, Taittinger encontró la muerte al final de la pista, incluso antes de despegar.

Los dos estábamos consternados.

El tío Jean no hablaba de lo que hacía, no tenía derecho a decirlo, todo su trabajo era secreto. Nunca le hice una pregunta. Cada vez que iba a una misión venía a entregarme una carta. Aún escucho su voz:

—Hijo, si no regreso, dale esta carta a la tía Paulette. Te tengo confianza.

Me daba mucho gusto devolverle la maldita carta a su regreso.

Durante esa época Michel y yo estabamos en entrenamiento, hasta que nos encargaron una misión secreta: bajaríamos en paracaídas en Francia. Era el mes de junio de 1944. El capitán nos pidió venir a su oficina. Tío Jean estaba allí con un amigo americano cuyo nombre no recuerdo. Tenían conocimiento de nuestra misión y por deducciones, tío Jean sabía lo que íbamos a hacer. Había venido a ver si teníamos conciencia del riesgo que íbamos a correr:

—Entonces, ¿sabes cómo y cuándo lo vas a hacer? —me preguntó.

No podía yo responderle sino "sí" porque ahora era yo el del secreto.

—¿Necesitas algo?

—Sí, un cepillo y pasta de dientes.

Fue la única respuesta que encontré.

Era verdad, era difícil para mí pensar en no lavarme los dientes.

Dos días más tarde, regresó con dos cepillos de dientes y un tubo de pasta que venían del PX. Sólo nos volvimos a ver en el mes de octubre, en París. Ya había visto a papá y le informó lo que habíamos hecho Michel y yo.

Así como éstos tengo numerosos recuerdos de esa época tan rica en acontecimientos y tan llena de peligros que el tío Jean atravesaba con calma, alegría, realismo y determinación de ganar.

El sábado 22 de enero 1944, Johnny escribe en su agenda:

Salida de Argel a las 6:30 horas. Avión para Nápoles a 9:15. Llegamos a 14:40 después de haber dado vueltas esperando aterrizar. Pude conectarme con el comandante Breed en la Villa María gracias al teniente Teissier, oficial francés. El coronel Reutersham me manda llamar a su oficina cerca de Caserta. El contacto me resulta brutal porque me quiere a su servicio. "Si no, su viaje no presenta el menor interés", alega. Se encuentra bajo presión.

Después de tres o cuatro días en el Departamento Operativo y de Inteligencia salgo al frente. El capitán Abrignani necesita a un oficial que hable francés.

La comida es de primer orden. Me entiendo bien con el coronel y tengo la impresión de que mi estancia va a ser provechosa.

23 de enero de 1944

Pasé toda el día con el teniente R. Colanel, Intelligence Officer, que habla bien el francés y es un hombre preparado. Me dio varios expedientes para consultarlos. Después de esta primera tarde tengo la impresión de haber aprendido mucho.

También el 23 de enero tu papá me escribió:

My darling Bouzoum:

Estoy de nuevo en el juego después de pasar demasiadas semanas en el lugar de nuestra luna de miel, hace ya unos 13 años. De hecho vi el departamento en que nos quedamos, ahora transformado en oficina. No reconocerías el lugar, aunque sigue igual de sucio. Lo único bueno es que pude conseguir naranjas, un sabor casi desconocido para nosotros desde hace más de dos años. No hace falta decirte que me siento triste de no estar contigo y las niñas. Me hubiera hecho muy feliz volar de Washington a México, aunque sólo fuera una semana, pero estoy seguro de que cuando nos veamos estarás de acuerdo en que hice lo correcto. He estado pensando constantemente en ti, en Elena y Kitzia, y a veces creo que se nos están yendo nuestros mejores años pero tengo confianza en que cuando todo este *show* termine, las cosas serán como tú querías que fueran en 1939.

24 de enero

Paso de nuevo la mañana en el Intelligence Service, con el teniente Colanel. Conocí a Abrignani, así como al capitán Weil. Me dicen que es importante que me hayan adscrito al Special Detachment. Los oficiales son muy simpáticos y todo va bien. El coronel va a presentarme al coronel Howard, jefe del G-2 del Quinto Ejército.

Los aliados habían triunfado en toda la línea. Cuando desembarcaron en Sicilia, tomaron Nápoles y Caserta pero se paralizaron en Montecassino. La batalla en este lugar fue la más encarnizada, acaso la más terrible de las que tuvieron que librar. En realidad, fueron seis batallas en Montecassino con los combatientes de siete países: estadounidenses, franceses, ingleses, polacos, indios, canadienses, neozelandeses, y también marroquíes, tunecinos y argelinos con cuadros excelentes. En seis meses, 107 mil hombres del Quinto

Ejército estaban fuera de combate, 14 mil habían muerto. La ofensiva de mayo costó cerca de cuatro mil hombres a los polacos quienes, según Johnny, se comportaron como héroes. La maniobra de pinzas dirigida por el general Juin contribuyó enormemente a la victoria.

En el centro de la contienda, sobre la cima de uno de los montes de 519 metros, a medio camino entre Roma y Nápoles, se erguía la abadía de Montecassino. Esta abadía fue crucial porque los aliados creían que en ella se habían refugiado los alemanes. En realidad, éstos habían convertido cada colina en fortaleza, excavaron túneles dentro de la tierra, los sostuvieron con durmientes y vigas de acero de ferrocarril, colocaron ametralladoras a la entrada de esos túneles y minaron los campos en las faldas de la montaña. ¡Y además estaba el Expreso de Anzio!, un enorme cañón de 280 milímetros montado sobre un vagón de ferrocarril que se podía desplazar a gran velocidad. Un solo disparo de ese cañon acababa con todo. Sus proyectiles eran enormes. Después de disparar, el Expreso de Anzio desaparecía; literalmente se esfumaba en el aire. Los aliados lo buscaban en vano. Después del fogonazo, cuadrillas de aviones con sus radares volaban a buscar de dónde había salido el disparo, pero jamás lo detectaron. Finalmente se dieron cuenta de que salía y regresaba de un túnel donde permanecía escondido hasta el nuevo disparo. El túnel estaba cerca de Castel Gandolfo, que antes de convertirse en la casa de campo del Papa había pertenecido a los Poniatowski.

La abadía de Montecassino, fundada por san Benedicto, se construyó encima del templo de Apolo. La fama de santidad de Benedicto hizo que afluyeran las donaciones y la iglesia y el claustro del monasterio se llenaron de tesoros invaluables. Montecassino llegó a tener una pinacoteca impresionante y una biblioteca de 100 mil volúmenes, muchos incunables y mil códices. Contaba también con un observatorio metereológico y un centro de estudios de geografía.

Felizmente, el teniente coronel Julio Schlegel, austriaco y amateur de arte, había tenido la feliz iniciativa de transportar en camiones, a partir de noviembre de 1943, las obras de arte, los libros y los pergaminos al cuidado de religiosos que entregaron su cargamento en el Vaticano. Los coches llegaron hasta Roma sin un rasguño, un verdadero milagro.

A pesar de que el abate Gregorio Diamare, superior de Montecassino, aseguró a los aliados que no había alemanes en su abadía, después de prevenir a la población y a los monjes benedictinos y de arrojar granadas con volantes en los que arengaban: "Salgan del monasterio ahora mismo, les avisamos para que puedan salvarse", firmados por el Quinto Ejército, el 15 de enero a las 9:30 de la mañana, 255 bombarderos aliados arrojaron un total de 576 toneladas de bombas a lo largo de varias horas de bombardeo. Por la noche, la región de Montecassino era un inmenso camposanto cubierto de humo.

Aunque sólo quedó el cascarón de los edificios de Cassino, los alemanes siguieron luchando en los pueblos arrasados. Todas las noches se guarecían en sus famosos túneles en la montaña. En marzo, con un espantoso mal tiempo y ráfagas de nieve, comenzó el ataque contra la ciudad. Cuando el Octavo Ejército entró al valle de Liri empezó a declinar la fuerza de los alemanes. Pero eso fue hasta mayo.

Ayer, después de un día de vuelo, regresé al cuartel, donde al menos siento que soy útil. Hace mucho frío y la tierra está muy lodosa, pero la atmósfera es distinta: infierno por infierno, nosotros les daremos su infierno y no nos van a patear como en 1940. Si las cosas suceden como está previsto, seguramente estaré mucho más cerca de ti a finales de marzo. Podrías arreglarte para ir a ver a Ethel Mary de Limur en marzo; no hay razón para que no me den permiso de ir a verte por unos cuantos días. Te tendré al corriente. Quisiera saber de tu salud, de la de Elena y Kitzia, cómo van sus estudios. Sé de la responsabilidad que encaras sola desde hace mucho tiempo y quiero contribuir a su formación porque muy pronto serán adolescentes y ya no nos harán caso. No sé cómo te sientas, pero deberíamos tener un tercero.

25 de enero

Pasé la mañana con Colanel, Intelligence Officer, y la tarde con el mayor Smith en la Operation Sections. Vi cómo ambos servicios (Intel y Opera) trabajan juntos. Es apasionante ver cómo llega la información de largo alcance. Por desgracia, recibí cable del cuartel general de Argel firmado por Glavin:

"General Giraud requiere el regreso inmediato del teniente Poniatowski para una misión corta de gran importancia."

El capitán Petrucelli arregló un vuelo especial y debo salir en la madrugada a Argel. Afortunadamente tengo una orden del cuartel aquí que exige mi regreso.

26 de enero

Despegamos de Nápoles con mal tiempo. Ningún otro avión ha salido desde el día anterior. Pésimo vuelo. Hacemos cinco horas 40 minutos. Por telefóno, Glavin me dice que me reporte con el general Giraud. Me entero de que salió el mismo día al campo de batalla italiano acompañado por mi hermano André. Finalmente me entero, a través del comandante Pallol, que el capitán Johannet quiere verme acerca del caso -X-. Ceno con Joe le Boucher y con Parrigaut en Boussarea.

27de enero
Le explico al capitán Johannet lo que sé acerca del caso -X- y a las 4 p.m. veo al inspector Acchiari, encargado de la investigación previa al juicio del capitán -X-. Me entero de que tal vez lo fusilen por ser cabeza de la organización de espionaje que trabaja para los alemanes. No puedo creer que sea verdad. Hago el reporte escrito que me solicitan, lo más objetivo posible. Como con el comandante de la Chennevière en el Mon café. Tomé *Priority travel orders* para regresar mañana (a Italia). Ceno con Mareuil, Hardoin, Henry Hyde, el coronel Nicolle, Kruegel y un *secy* de la 2677 HQ de la CO.

28 de enero
Salgo de Argel a las 6:30 hacia el aeropuerto, contento de dejar la atmósfera de África del Norte que no me gusta. Pienso que me volvería loco si tuviera que trabajar aquí. El avión lleva a dos generales de dos estrellas de Estados Unidos, uno de ellos el general Sloan, y tres coroneles británicos. El viaje es muy bueno, pero sufro de paludismo y me siento de los mil diablos.

El teniente Hollingshead me recoge en el aeropuerto de Capodi y vamos hacia el puerto para inspeccionar el barco PT que lo conducirá a las operaciones en Anzio. Estoy contento de haber llegado a Caserta, donde todos son buenos conmigo. Conozco al coronel Ordway de la aviación, es hermano de Sam Ordway que antes fue consejero de la ITT. El general Donnovan también ha regresado a LN después del desembarco.

29 de enero

El coronel Reutersham me dice que está contento de verme de regreso y tiene la intención de mandarme al frente el lunes 30. Hago un reporte sobre mi viaje a Argel. Como el capitán Petruccelli también va al frente, lo acompaño para ganar tiempo. Antes de llegar a Benafro, pasamos por varios pueblos pequeños como Capona, muy destruidos; no podemos ir con rapidez por culpa de un tráfico considerable. Al llegar, encuentro de nuevo al capitán Abrignani jefe del Forward Echelon, a quien había yo visto en Caserta. Vive con dos tenientes italoamericanos, Joe Sortiano y Bill Salvo en una casa abandonada, sin ventanas, pero ¡oh, júbilo!, encuentro allí un piano no muy malo, lo abro y me pongo a tocar. A pesar de los bombardeos, los civiles regresan gradualmente a su pueblo. Los demás miembros de la unidad son el sargento Sylvani, Rallo (Abastecimiento), Conti (Radio) Miglio (Mecánica) hombres buenos y tranquilos. Como las nuestras son actividades especiales, somos independientes. Comemos juntos. La comida es excelente. Los oficiales son alegres, activos y sobrios. Ninguno bebe. También sus hombres son así. En el cuartel de esta pequeña unidad el radio ocupa una pieza, en otra se alinean los mapas con el trazo de las operaciones. (El frente actual y los sitios donde nos toca trabajar están, por supuesto, ocultos). Tenemos armas Tommay, pistolas, puñales y granadas para una sección completa. Muy buena atmósfera. Entiendo que Pedro de Grecia debe venir a ver al general Juin y le dejo un mensaje. Sé que tiene una comisión como coronel en el ejército americano, donde lo llaman Coronel Príncipe Pierre de Grèce, lo cual me divierte porque en la escuela, en 1920 en París, solíamos bromear acerca del efecto de un título nobiliario en la gente. Era un tipo a "todo dar", no muy inteligente pero muy jalador, a *good sport*.

30 de enero

Regreso con Abrignani a conocer al comandante Dallier, quien está interesadísimo en el trabajo que hacemos y quiere que nuestra unidad coopere más de cerca con los CEF (Cuerpo Expedicionario Francés).

Bill Salvo tendría que haber regresado con sus hombres de una misión de largo alcance. Joe Sortiano y yo vamos a esperarlos en el lugar convenido.

31 de enero

A las ocho de la mañana empezamos a preocuparnos realmente porque no hemos recibido noticia de Joe Sortiano y no comprendemos cómo puede dejarnos en ascuas. Bill Salvo y yo vamos al cuartel, donde conseguimos la última fotografía del frente de G2 al que fue Joe, algo así como a 15 millas de donde estamos. Regresamos a las 10:30 para reunirnos con el coronel Odway (*liaison officer* OSS con la aviación), el mayor Roller y Malcom Collande. Esperamos que no nos hagan perder tiempo porque de todos modos nunca saldrán a las líneas del frente. El capitán Abrignani los lleva al cuartel general del Quinto Ejército mientras Bill y yo vamos al frente para saber qué ha pasado con Joe. Después de pasar por Acquafondata, un pesado bombardeo nos detiene. La carretera que baja del otro lado de la montaña está a plena vista de los alemanes y los automóviles pasan rápidamente a 200 yardas del enemigo. El teniente Battisti en su G2 me informa que nadie ha visto al teniente Joe Sortiano y nos disuade de subir a Santa Elia, un pueblito a una milla de distancia. "No corran riesgos inútiles. Está vacío". Sugiere que contactemos al capitán Budet, jefe de CIC de SM en Acquafondata, por donde pasamos hace unos cuantos minutos. Todo el lugar es un desastre, la iglesia está en ruinas, salvo la Virgen que, a pesar de ser de yeso pintado, se mantiene en pie. Nos dicen que el teniente Sortiano llegó el día anterior a las 12. Llamamos al capitán Abrignani que nos pide regresemos esta noche al Forward Echelon porque vamos a patrullar con los franceses al día siguiente. A causa de los bombardeos nos toma más de dos horas regresar. También veo muchas ambulancias; las bajas de las últimas 24 horas han sido enormes. En uno de los regimientos, el del coronel Linares, de 800 hombres murieron 200. Los alemanes se encuentran en muy buenas posiciones en la falda de la montaña, escondidos tras dos metros de nieve.

Todos parecen creer que le dieron a Joe, pero aparece cinco minutos después de nuestro arribo y le decimos hasta de lo que se va a morir por no llamar y también por lo felices que estamos de verlo de regreso. Lo único que hizo fue esperar 18 horas en el puesto de avanzada para ver si entraban los AS alemanes.

Decidimos con Abrignani ir allá de nuevo mañana. El capitán Weil, a quien yo necesitaba ver, tampoco ha llamado; maldita sea, ya me hizo perder el tiempo ayer.

Estos pequeños jeeps son estupendos, pero por poco y tenemos dos accidentes debido a nuestra forma nerviosa de conducir y a los camiones que nos rebasaron. También nos tocaron dos fragmentos de granada de metralla en el parabrisas que nunca supimos de dónde venían.

El capitán Abrignani me dice que el cuartel general quiere enviar a dos de sus mejores hombres del lado de Anzio. Si fuera él, me negaría; de por sí tiene muy poca gente. Pienso mucho en las muchachas francesas que he visto manejar ambulancias en la línea de fuego. Como los hombres, y a veces mejor que ellos, ponen todo su corazón en su trabajo.

1 de febrero
El capitán Bombour (G2) me pide que nuestra unidad le avise siempre que enviemos hombres a patrullar. Después de la comida acompañamos al teniente L'Estranges, quien nos muestra atajos para cruzar el valle frente a las líneas enemigas en Montecassino. Es 30 minutos más rápido porque no hay tráfico. Sigo al teniente Sortiano, que se fue en el jeep francés de L'Estranges, pero falla mi motor y me quedo en una colina expuesta durante dos horas. Finalmente logro reparar el arranque después de examinar el carburador, las bujías, el distribuidor. Al regresar por la noche, cansado y gris de polvo, encuentro a Joe Sortiano, quien dice que no pudo hacer marcha atrás porque L'Estranges tenía prisa de alejarse de la colina donde me detuve. Mi comentario del día es que deberíamos tener herramientas en el jeep, una lámpara eléctrica y una cobija en caso de descompostura.

He escuchado algunas quejas. El ejército 36 no hace nada que valga la pena. El 34 está mejor, pero debería haber tomado Montecassino. Espero que lo hagan esta noche porque las barracas al este de los suburbios de Cassino fueron tomadas ayer, cuando, en 24 horas tuvimos muchas bajas. De los 10 mil que salieron al frente perdimos a 2 900 hombres y oficiales.

2 de febrero

A las 3 y a las 5 a.m., violento fuego de artillería de nuestro lado. Espero que el asunto de Cassino se liquide. Me informan que los tanques que atacaron la ciudad de Cassino en la madrugada no pudieron mantenerse en la línea de fuego. Por lo que se refiere a nuestros hombres, dudo que regresen y tendremos que enviar a otros a dos importantes misiones. Jim y Joe salieron por la tarde hacia San Angelo y mientras los escondían los árboles de camino hacia el pueblo, sólo unas cuantas yardas los separaban de los puestos alemanes. Les hubieran podido tirar porque sus uniformes verdes resaltaban sobre la nieve.

3 de febrero

Los batallones expulsados ayer intentan un nuevo ataque a las 6 a.m. a Cassino. Han avanzado desde las barracas al este del pueblo y si logran unirse a los otros batallones que atacan Cassino pueden barrer a los alemanes en la tarde, a menos que los alemanes combatan en la misma forma en que lo hicieron ayer. Han sido ametrallados toda la noche para impedirles preparar el combate de hoy.

4 de febrero

Tiempo tormentoso. Jim y Joe, que habían sido arrestados por los franceses en Castel San Vincenzo, salieron hacia Pizzoni a hacer arreglos con los cuates para el viaje de mañana. Las maniobras para cercar Cassino con la ayuda de franceses son idea del general Montsaber, pero no se le da crédito porque está en el sector 34. Sólo espera que el asunto se aclare rápidamente.

Aquí hago un paréntesis porque noto que la escritura de Johnny se ha cerrado y se ha empequeñecido al grado de volverse ilegible. Percibo su angustia.

5 de febrero

El coronel Reutersham me enviará a Anzio con el barco PC si es posible. Las cosas no van bien allá. Los alemanes tienen ahora siete divisiones o más en la retaguardia que las nuestras y el mal tiempo impide nuevos desembarcos.

En la misma fecha, Johnny me escribió:

Donde estoy hace frío y seguirá haciéndolo durante muchas semanas. Estamos metidos hasta el cuello en el lodo. Desde que llegué aquí tengo una vida muy intensa. Durante los últimos tres años he estado ansiando verlas a ti y a las niñas y ojalá que nada me lo impida en el futuro próximo.

Espero ir en misión a Estados Unidos al principio del mes de marzo y es probable que me concedan permiso para seguir a México. Si no lo logro, tendrás que alcanzarme en Washington.

Te escribo desde un sitio en el que no hay ventanas y sólo queda una parte del techo, como en las películas. Lo único bueno es el piano que escapó al fuego y en el que toco cada vez que puedo. El escenario me recuerda la casa de campo de mi hermano Cash, pero estamos más alto aun en la montaña que en Le Rouret. Sólo quedan algunos pueblitos en pie. A pesar de que he sido destacado por los franceses como oficial de enlace con el ejército americano, trabajo enteramente con ellos;

mis contactos con los franceses, por lo tanto, representan sólo una pequeña parte de mi actividad. Todos los muchachos aquí son muy agradables y como puedes imaginar me entiendo muy bien con ellos. Su sentido de jerarquía es muy distinto al francés y cuando encuentro al coronel y su equipo, me llaman John, como si me conocieran de toda la vida, aunque soy oficial. Inútil decir que el haber sido asignado como oficial francés al ejército americano no ayuda a mi propia promoción, pues si estuviera en el ejército francés, automáticamente sería capitán. Es un detalle, pero es vejatorio, ya que, como sabes, en 1940 comandé un escuadrón mientras Billier estaba en el hospital.

Debo terminar ahora, darling, en mi próxima carta te contaré de mi jeep que se llama Bouzoum. Es un poco irrespetuoso. Dale una limpiada a Bouzoum, a Bouzoum le hace falta gasolina, Bouzoum no quiere arrancar. Un beso a Elena y a Kitzia de mi parte. Mi más tierno amor, Johnny.

7 de febrero

6:30 horas. Los polacos del Octavo Ejército, a los flancos de los *gums* (árabes) franceses, también están en el Castel San Vincenzo. Veo que los polacos en trajes de combate británicos se ven muy bien como soldados.

El teniente Mola, de la Quinta de Cazadores Alpinos, me dice que vino al frente para relevar a X. Gum. Sus hombres son muy buenos, pero están muy mal equipados, vestidos para la primavera en África del Norte, zapatos y pantalones gastados, chaquetas demasiado ligeras. Salieron al frente por primera vez el 13 de diciembre pasado y tuvieron 16 muertos, 39 heridos y para colmo 50 con los pies congelados. Al regreso de las líneas hablamos con los italianos, que probablemente releven a una de las divisiones francesas que ha estado en el frente durante más de 50 días.

Por la tarde Jim va al cuartel general de Caserta y me dice que el coronel Reutersham consiguió mis papeles para ir a Anzio. Muchos aviones están fuera todo el día. En el 34 batallón estamos bombardeando Cassino. La lucha es muy pesada. Pueden verse las bombas explotar un poco abajo de la vieja abadía en la montaña. Espero que no tengamos que hacerla pedazos, pero tal parece que sí porque los alemanes, aunque ya no disparan desde ella, la utilizan como observatorio. Por lo que oigo, nuestros bombarderos en picada están causando bajas en nuestras propias filas, que apenas han salido a los aledaños de Cassino.

8 de febrero

Los alemanes combaten a todo lo largo de la línea. Tienen seis divisiones. Nosotros sólo tres, entre ellas el Quinto Ejército, y para la cabeza de playa de Anzio, el Octavo Ejército. Enfrentar con sus tres divisiones seis divisiones alemanas es muy duro.

El capitán Weil iba a comer con nosotros, pero debe regresar al frente porque uno de sus hombres que fue lanzado en paracaídas ayer regresó por la noche sin cumplir su misión. Nos cuenta que ahora es muy difícil pasar hombres a la línea enemiga y que los resultados son muy pobres. A veces se obtienen más resultados interrogando a los prisioneros. En el caso de una ciudad como Anzio, que es un importante cruce de caminos, sería bueno tener una radio que alcanzara la costa. ¿Por qué no considerar la posibilidad de que nuestros hombres se reúnan en Crozé, pues resulta más práctico?

Durante la comida es derribado el avión alemán 109. Vemos al piloto saltar, pero no se abre su paracaídas. El avión cae envuelto en llamas a unas cuantas millas de nosotros. Probablemente estaba volando bajo por dificultades de motor.

9 de febrero

Decidimos enviar un hombre capaz que acaba de regresar del hospital y conoce su oficio. Después de dos horas de caminar a través de Valle Rotondo y Valori nos encontramos al guía que debe acompañar a nuestro hombre. Él vigilará que no le disparen a su regreso porque ayer el capitán Delzunce perdió a uno de sus oficiales. Después de varias horas los cuerpos de los muertos no han sido levantados. Bombardeo muy pesado en el camino de regreso. El trayecto nos toma más de cuatro horas porque permanecemos bloqueados en la montaña. Los franceses están subiendo 105 rifles que les darán a los *gerries* alemanes algo en qué pensar.

10 de febrero

Salgo con Joe Sortiano para ver si nuestro hombre ha regresado. Llevamos el jeep porque nos permite bajar a Valle Rotondo acortando nuestra patrullaje de dos horas y media. Nuestro hombre alcanzó a llegar a Alina y recogió información valiosa. En Valori conocimos a un legista italiano que podría trabajar con nosotros. Lo verificaremos en cuanto a seguridad. Conseguí que el capitán francés le autorizara moler su trigo en la granja cerca del puesto de los alemanes. Tienen niños pequeños en la casa. La población salió por miedo a los árabes porque se comen los borregos y cuando tienen la oportunidad violan a las mujeres. Se dice que los alemanes son mejores, pero eso me recuerda a un hombre que ayer salió de Cassino con sus dos niños. Declaró que los alemanes se lo llevaron a trabajar como albañil. Por la noche, de regreso a casa, encontró a su mujer, que los alemanes había violado, con un tiro en el corazón. Su hijo mayor había desaparecido. Llevó a los otros dos a Cassino y escapó durante la noche. Contó que durante la noche todos los trabajadores italianos eran desnudados por los alemanes para impedir que escaparan.

En las filas la moral es baja. Los oficiales son muy duros, los austriacos y los polacos están hartos, encuadrados por los prusianos. En el camino de regreso rebasamos grandes US 205s. Seguramente están preparando algo.

Vi al comandante Dallié a las seis. Muy contento con la información. A media entrevista, el capitán Deklebs entró y dijo que los alemanes llevan muchas tropas al sur y se observa gran movimiento en el cruce de carreteras de Frosinone. Olvidé decir que en plena vista del enemigo, ya para salir de Valle Rotondo, una bomba cayó a unas cuantas yardas de la parte trasera del automóvil, pero no hirió a nadie. Hoy avanzamos 150 yardas en Cassino.

11 de febrero

Abrignani tiene un accidente de automóvil en Acquafondata. Espantosa lluvia durante la noche. Intenso tiroteo durante todo el día. Jim trajo al muchacho y a la muchacha que tienen información sobre Civita Vecchia. Cenaron con nosotros y vieron nuestras provisiones mientras ellos ni siquiera obtienen una ración para sus hijos, lo mismo que el albañil italiano que hoy comió con nosotros y quien seguramente sólo en tiempos de paz ha visto mantequilla, mermelada, catsup, mostaza y vino tinto correr libremente en la mesa. Debemos cuidar de que esto no se vuelva en contra nuestra. Por ejemplo, al agente que necesitamos enviar a la isla se le ordenó limpiar los coches, las botas, los rifles y cuando terminó se le envió a comer a la cocina.

12 de febrero

Hoy temprano, entre las 5 y las 6 a.m., los alemanes bombardearon nuestra área sin dar en el blanco. Una tercera parte de las bombas no explotaron. Fui a ver al comandante Dallié para darle el reporte de los civiles en los aledaños de Frossinoni y Atina. Joe regresa de Valori en la tarde. Uno de nuestros hombres no ha regresado, el fuego de morteros tiró la casa donde estuvimos ayer. Seguramente vendrá mañana al mismo tiempo que los otros hombres.

Cuando estuvimos en Valori, ayer, en el camino de mulas, a tres millas de aquí, el jeep fue atacado por una patrulla alemana no lejos de Valle Rotondo. Mataron al conductor y tomaron a otros dos prisioneros.

Aquí termina el diario de guerra de Johnny. Sin duda ya no pudo escribir porque el 15 de febrero la primera bomba cayó sobre la cúpula de la catedral destruyendo la tumba de San Benedicto. El bombardeo siguió hasta las 12, no quedó casi nada de la abadía salvo 300 muertos.

Decreto. Promovido a la Legión de Honor en el grado de Caballero, Poniatowski, Jean Evremont, teniente de fuerzas francesas del interior de la Dirección General de Estudios e Investigaciones, oficial de información, une a su alto valor moral capacidades técnicas incomparables. Se distinguió sin cesar, desde el desembarco del 15 de agosto de 1944, por un heroísmo a toda prueba y un desprecio total por el peligro. El 19 agosto de 1944 se introdujo en la región de Brignole en las líneas enemigas e implantó a cuatro observadores a más de quince kilómetros de profundidad. Del 24 al 27 agosto efectuó un reconocimiento personal en Orange, Bollène, Pierrelatte, y Donzères revelando con precisión los detalles de los dispositivos enemigos. El 5 de septiembre, infiltró a varios agentes en Besançon y logró determinar la naturaleza exacta y el valor de las fuerzas alemanas y localizar los centros de resistencia permitiendo así, con muy pocas bajas, la liberación de la ciudad.

En 1969, cuando fuimos a Francia, las autoridades de Besançon le invitaron a un homenaje en reconocimiento a su papel en la liberación de la ciudad. Johnny no quiso ir. Yo insistí mucho, me hubiera sentido muy orgullosa de acompañarlo, pero por más que insistí, no quiso.

El 14 de septiembre, al efectuar un nuevo reconocimiento personal y coordinar el trabajo de sus agentes al este de la línea Lure-Villers Sexel, favoreció el avance de nuestras tropas al descubrir toda una zona que no estaba en manos del enemigo. Brillante combatiente 1939-1940, habiéndose reunido con las fuerzas de África del Norte desde los primeros días, es para todos un bello ejemplo de valor y de modestia. Sus nominaciones y promociones le dan derecho de llevar la Croix de Guerre con palmas.

Charles de Gaulle

V Mail

ohnny llegó a Washington el 26 de abril enviado como instructor en dos centros de entrenamiento del OSS, bajo el seudónimo de Captain Key. Antes le había yo escrito:

Voy a internarme en el Hospital Francés el martes próximo para que me operen. Como te dije en mi carta anterior, no es nada importante, no hay que abrirme, una simple costura y estaré lista cuando tu llegues. Las tres te esperamos cada vez con más impaciencia porque primero nos dijiste que vendrías en marzo, luego en abril, y ahora estamos a la expectativa.

Claro que comprendo que no debe ser fácil que vengas, incluso por un periodo muy corto. Darling, estás constantemente en mis pensamientos. Ayer fui al aeropuerto a recibir a Loli Larivière que llega de Buenos Aires y pensé en lo que sería tu llegada y por poco y me pongo a llorar en ese instante. Recemos para que sea muy pronto. Debo dejarte ahora para ir a ver al doctor. Si tan sólo pudiera recibir una carta tuya muy pronto.

Recibí un cable el 30 de abril que me consoló un poco:

Darling, no te preocupe estar todavía en el hospital cuando yo llegue, piensa en lo afortunados que somos en tener a la pequeña familia junta de nuevo después de tres años de separación. Te enviaré un telegrama con la hora de llegada del avión. Mi más tierno amor.

Johnny Poniatowski

El 1 de mayo no pude ir al aeropuerto pero lo esperé en mi cama de la casita de Guadiana 3. Estaba en plena forma y con la alegría del encuentro me repuse pronto. Pepe y Lola Yturbe nos ofrecieron su casa de Acapulco en la que pasamos cinco días deliciosos. A Johnny le gustó particularmente la laguna de Tres Palos que cruzamos en barco sobre aguas café oscuro, entre la profusión de lianas y plantas exóticas. Ruquis nos acompañó y recuerda que Johnny, nervioso, caminaba en la noche por los corredores. Yo recuerdo el perrito fox terrier, regalo de Eduardo Iturbide: "Tanguito", en homenaje al soberbio toro de Pastejé que hizo un domingo la gloria de Manolete. Tanguito nos hacía pensar en Jimmy, el primer perro de Johnny. Era muy inteligente. Dormía con nosotros dentro de un canasto de paja.

Las playas le parecieron soberbias a tu papá. La bahía de Acapulco, cercada de luces en la noche, no estaba entonces desfigurada por los rascacielos que hoy nos perforan los ojos e impiden ver el mar.

Acompañé a Johnny a Washington. Vivíamos en casa de su prima Ethel Crocker de Limur, donde descansé mientras

Johnny iba a dar sus cursos. Impartía cuatro instrucciones al día sobre técnicas para atravesar las líneas enemigas. En sus papeles, y porque tu papá guardaba hasta la nota de la tlapalería, encontré estos apuntes que se refieren a su curso.

En la escuela OSS cerca de Washington, los que escucharon mis cursos se sorprendieron de la facilidad con la que se puede pasar las líneas enemigas sin camuflaje y sin armas, una Thompson sobre mi espalda era demasiado pesada, una 45 terminaba por llenarme de ampollas, entonces, por experiencia, nunca llevé sino dos granadas en el cinturón, una de ellas, dispersadora, pensando que si me sorprendía una patrulla enemiga no tenía más que lanzarlas y echar a correr.

Nunca realicé una misión sin tener miedo, pero, como en los deportes, una vez que se empieza, el sistema nervioso cambia: o haces tu misión o te chingan. Existe también *la baraka* (la suerte en árabe). Sólo aquellos que han hecho el mismo tipo de misión pueden comprender lo que digo. Equivocados o no, los estadounidenses, me consideraron un profesional porque en Argel pasé por los PORTS (Parachutages et cours de commando OSA) y me lancé varias veces en paracaídas sobre las líneas enemigas. Los estadounidenses no se dieron cuenta de que aprendí este oficio, totalmente nuevo para mí, sobre la marcha. Me tocaba dar informes tácticos, es decir, conocer y dar a conocer las posiciones enemigas, la importancia de sus fuerzas y su presencia y el desplazamiento de sus unidades, muchas veces ocultas, las de la Segunda División Panzer, por ejemplo.

Personalmente no sabía nada de la carrera. Estudié midiendo el pro y el contra, la posición del sol, la hora en que los alemanes tomaban sus alimentos, a fin de cuentas todo con un mínimo de riesgos y un buen sentido francés.

Tu papá siempre llevó el uniforme francés, aunque peleó al lado de los estadounidenses. Guardo como recuerdo la chaqueta agujereada por las balas que llevaba el conductor de la moto. Johnny iba en el *side-car* cuando el conductor murió. Ethel recibía muchos invitados a comer y a cenar. Uno de sus huéspedes fue el general Donnovan, quien algunos meses más tarde habría de inquietarse tanto con la desaparición de Johnny después de haber sido lanzado en paracaídas sobre las líneas alemanas, desaparición que habría de durar una semana.

El calor de ese mes de mayo en Washington era tan fuerte que las velas de cera se encorvaban lamentablemente en los candelabros. También nosotros nos derretíamos. Por eso nos sentimos muy contentos de poder pasar algunos días en Nueva York, donde la atmósfera era menos sofocante y donde tuve la alegría de ver de nuevo a mi hermana Lydia y a Jean-Yves. La ciudad, muy tranquila, me fascinó tanto como de niña. Un día que caminaba sola por la calle me entró un polvo de carbón en el ojo. De inmediato penetré en una tienda en la que había grandes espejos pensando que podría quitármelo con más facilidad. Le pedí a la única vendedora el precio de un feo vestido. Furiosa, me miró y me espetó estas palabras:

—No entiendo como gente como usted quiere comprarse un vestido en un día como hoy.

Era el 2 de junio, el *Día D*, el día del desembarco de las tropas en Normandía. Sorprendida le respondí:

—La verdad es que tengo una basurita negra en el ojo y entré a la tienda para ver mejor porque no logro quitármela.

Entonces su actitud cambió por completo.

—Oh, mi pobre amor, voy a traerte agua y un *kleenex*.

Fue ella quien logró sacarme el carbón mientras decía:

—Todo el día pienso en nuestros pobres muchachos peleando en Francia.

Y nos despedimos como las mejores amigas.

El día que debíamos tomar el tren de regreso a Washington, Johnny se dio cuenta en el taxi de que había olvidado los boletos junto con su pasaporte en el hotel. Regresamos a buscarlos y llegamos naturalmente al último minuto antes de la salida. Corrí tanto como pude y logré subirme a un vagón sin ocuparme de Johnny. ¡Que él se las arreglara con las maletas! Una vez sentada me invadieron los remordimientos, y empecé a preguntarme cómo nos las ibamos a arreglar, él solo en Nueva York cargado de maletas y yo sin boleto y sin dinero en el tren. Mi alivio fue muy grande cuando vi a Johnny aparecer con una sonrisa irónica.

El 19 de junio Johnny volvió nuevamente a la guerra.

Mi Bouzoum que amo:

Traté de llamarte pero no habías llegado. Así que le pedí a un tipo del aeropuerto que lo hiciera. Estaba enervado con tu partida. Cuando volvamos a encontrarnos no nos volveremos a dejar, mi Bouzoum querida, es demasiado triste tener que dejarse y me pesa mucho el corazón. Abraza muy fuerte a las niñas de mi parte y diles que mi pensamiento está constantemente con ustedes tres, tal vez cuatro dentro de poco. Pero creo que es más bien el clima de Washington el que te hizo sentirte mareada. A mí también me molestó el calor pero ahora el tiempo es bueno.

Tu sabes, la vida es tonta. No te dije todas las cosas lindas que quería decirte. Tu sola presencia me hacía feliz y no buscaba más. Ahora es el vacío y estoy sentado como un cretino a tres mil pies de altura con el paisaje que desfila lentamente. Me siento contento de saber que estás con las niñas estos días y espero que desde Forthworth puedas continuar directamente a México. Dentro de algunos minutos intentaré hablarte por teléfono desde Nueva York, pero no sé si pueda comunicarme. Mi pequeña Bouzoum querida, *God bless you*, te abrazo con todo mi corazón, muy tiernamente,

Johnny

Yo, a mi vez, le escribí que

[...] me sentí miserable después de dejarte el lunes, afortunadamente me llamaste y tu voz me hizo sentir un poco mejor. El martes, en Washington, llevé tu baúl al teniente Shepperd, quien resultó muy simpático y dijo que lo mandaría de inmediato. No tomé el avión ese mismo día a las siete y treinta porque le dieron mi asiento a un pasajero con prioridad, así que fui al cine y tomé el siguiente vuelo a las once. Tuve que esperar dos días en Forthworth. Quedarse en una ciudad sin conocer a nadie es muy deprimente. Por eso cuando, a las dos de la mañana, un telefonazo me despertó para decirme que tenía un asiento en el avión para México, pegué tales gritos de felicidad que mi vecino del siguiente cuarto del hotel golpeó en la pared.

El 23 de junio de 1944 tu papá me escribió:

Hice un viaje mucho más cómodo que el de venida y sin problemas. No pude dejar de pensar en la revolución que significa la rapidez de los transportes. Al terminarse la guerra esta rapidez va a abrirle al mundo nuevos horizontes al igual que lo hizo el primer cable a través del Atlántico. Es inútil decirte que estoy muy ocupado. Sin embargo, Michel y Philippe cenaron conmigo al día siguiente de mi regreso. Estaban muy bien y naturalmente preguntaron mucho por ti y las niñas. A Mickey lo vi flaco como un cucú. Por Philippe tengo un sentimiento muy especial, extraño, de padre. Me gustaría llevarlo conmigo aunque corra el mismo riesgo. Philippe trae todas sus baterías cargadas. Por eso preferiría que supiera lo que es estar en la línea de fuego, dispuesto a aceptar lo que ha de suceder. Que sepa que si le toca morir es porque Dios así lo ha decidido.

Si en esa carta, escrita en Argel, Johnny me dijo que el viaje había sido más confortable que su venida a Washington fue porque en su primer vuelo en avión militar viajó sentado encima de una cubeta (30 horas de vuelo). Después regresó a Pozzuoli, cerca de Nápoles, para seguir un entrenamiento de comandos y se lanzó durante varias semanas en paracaídas.

Encontré en una hoja de su agenda escrito con lápiz:

Julio 21 de 1944
Dejamos Scherezade, el puerto de Argelia y abordamos un barco británico en compañía del "Ville d'Oran" y protegido por cinco cruceros. Llegamos a Nápoles el 24, luego nos separamos, algunos van a Caserta, otros

a Pozzuoli, al campo de entrenamiento A. (Entrenamiento físico a las siete de la mañana, desayuno a las ocho, conferencia de nueve a doce y media —se supone que la tarde es para trabajar). Durante la práctica vamos a nadar todos los días y a veces vamos a Nápoles, pero el lugar es sucio y poco simpático. Algunos de los muchachos han ido a un acostón, pero hay que ser muy valiente.

El 10 de julio de 1944 le escribiste una carta a tu papá en la que le cuentas que hiciste tu "promesa *scout*" pero no tienes fotografía que enviarle, y que madame Signoret te regaló tu uniforme.

Estuvo muy bonito, pero *Mamy-Grand* dijo que duró demasiado. Ya usé los diez pesos que me regalaste. Compré libros que necesitaba para el colegio. Voy todos los días a mi clase de piano porque voy a tocar un concierto con orquesta, el número 23 de Mozart en La mayor. Estoy muy orgullosa de ti porque todas mis amiguitas te encuentran a todo dar.

Kitzia le escribió:

Me encantaría volver a verte pronto y darte un gran beso chiquito. Ahora ya no soy la niña chiquita que era cuando salimos de Francia. Vamos a ir Pastejé para la Semana Santa y vamos a montar a caballo. Adiós, papito, te esperamos pronto.

Tu changuito, Kitzia Poniatowska

Papá les respondía a ustedes religiosamente:

Estoy súper bien. Debes estar fascinada con las noticias que recibes. Ahora realmente creo que todo acabará este año, quizá, si atino, para la fecha de mi cumpleaños. Me preocupo mucho por Mickey y Philippe, quienes están en zona peligrosa.

A vuelta de correo le contestaba a tu papá pero en muchas ocasiones las cartas se perdieron. A partir del mes de julio, cuando el fin de la guerra era seguro, mi emoción fue creciendo. Lo escribí en una carta:

[...] puedes imaginar lo emocionada que estoy, y puedo adivinar más o menos dónde te encuentras. También estoy muy ansiosa por saber de Bichette y espero que pronto puedas establecer contacto con ella. Creí que Cesarino podía dar algunos informes, pero supongo que él está con Bichette.

Todo el mundo aquí está encantado con las buenas noticias; el sábado por la noche, la Legación Francesa dio una recepción para celebrar la entrada de los estadounidenses a París. Aunque no debía, salí con gripa de la cama. La pasamos a todo dar cantando *La Marseilleise* y los himnos inglés y estadounidense. La noticia había corrido y manifestaciones de alegría estallaron en las calles, la gente se abrazaba y cantaba en los restaurantes.

En una de sus últimas cartas desde el frente, tu papá me escribe que fue uno de los primeros en llegar a la costa de Francia.

Con gran emoción, después de haber barrido con los *krauts* (alemanes) y los *snipers* (francotiradores) encontramos a los primeros campesinos franceses. Había amanecido, el mar era azul y tranquilo y yo casi no podía creer que estaba en Francia y que sólo unas cuantas horas antes el ruido terrible de la aviación nos había señalado el camino. Fue la repetición de la película que vimos juntos y resultó muy impresionante. (En la película que vimos en Washington los barcos descargan mediante puentes levadizos a los tanques americanos que inmediatamente avanzan sobre la playa).

En un puertecito de mar vi al jefe de la Resistencia, Mitrani, a quien tal vez conoces; hubo un ataque desde el aire y cayó una bomba a cincuenta yardas de la mesa donde tomábamos un trago. Tanto Mitrani como su hermano murieron, además de un paracaidista, un civil y una niñita. Jack Nile y yo fuimos arrojados a unas diez yardas sin un solo rasguño.

Anoche, por primera vez en mucho tiempo, dormí en una cama. Tuvimos una batalla enconada cerca de la ciudad de Nougat, los alemanes que todavía combaten lo hacen con desesperación. Se han portado del modo más espantoso, han matado mujeres y niños, han robado. Sólo quieren entregarse a las tropas de los Estados Unidos porque saben lo que les sucederá si caen en manos de civiles. Los partisanos tienen sed de venganza.

En muchos casos he sido el primer oficial francés en entrar en un pueblo o villorio, no te puedes imaginar cómo me reciben: ancianos, mujeres de todas las edades, niños, todos lloran, ríen, me jalan fuera del *jeep* para abrazarme y besarme. Una multitud feliz corre tras de nosotros. A los muchachos americanos les han dado una recepción maravillosa. Claro, los soldados están encantados y devuelven con creces las demostraciones de cariño.

En cuanto a la familia, ahora estoy muy lejos de Cash, papá, y también de Stan. Tendré que esperar para verlos hasta que todo termine. Supongo que algo habrá quedado de nuestras pertenencias en París, pero me importa un bledo si todo lo material se ha perdido con tal de verte a ti y a las niñas pronto.

El 15 de agosto por la mañana, en vez de desembarcar en la bahía de Pamplona, al suroeste del Cabo de Pinet, el enemigo se replegó después de intensos bombardeos. El equipo formado por tu papá y sus hombres sufrió dos bajas: un muerto y un herido.

Johnny me contó después que en la puerta de una cantina vio a un hombre cuyo rostro le pareció familiar y como tenía la buena costumbre de hablar con desconocidos, le pidió su nombre y éste respondió: Charles Vanel, el actor. Juntos tomaron una copa a la que se unió Thérèse Dorny, quien había llegado en bicicleta desde su villa en Saint Tropez.

De regreso de una misión en Forbach, donde tenía a uno de sus agentes con su radio, poco faltó para que lo cercara una patrulla alemana. Había cuarenta centímetros de nieve y el miedo le dio alas. A unos 600 metros de los tanques estadounidenses escondidos en la altura, que esperaban noticias suyas acerca del puente minado a Forbach, seis soldados alemanes salieron de su trinchera. No tuvo tiempo de reaccionar. Felizmente resultaron polacos que se entregaron con una gran sonrisa.

En Amberrieux, le salvó la vida a dos agentes paracaidistas que los FTP querían fusilar esa misma noche. Mandó sus códigos a Londres y los soltaron. Antes, en Valence, los FTP habían izado la bandera roja sobre la alcaldía. Los alemanes estaban en plena retirada. Tu papá mandó abrir un bistró y le explicó al dueño con toda calma y sonriendo que pertenecía al ejército regular y que le daba cinco minutos para correr a la alcaldía, bajar la bandera roja e izar la azul, blanca y roja de Francia. Una noche, también durante esos días, tomó una villa en Avignon que antes había ocupado la Gestapo. Durante la noche hubo un asalto a la villa y una bala le rasguñó el rostro y fue a incrustarse en una puerta. Tu padre la guardó como recuerdo, así como la cuchara de palo con la que comía en la cárcel de Jaca y que ahora tú, Elena, conservas.

Le escribí el 20 de septiembre que había recibido su carta del 26 de agosto y que:

[…] mis previsiones han sido exactas y a través de los periódicos sé más o menos dónde andas. Gracias a Dios nada te ha sucedido hasta la fecha y le ruego que siga protegiéndote. Te salvaste por muy poco. Lo que me dices acerca de las atrocidades de los alemanes me enchina el cuero. Ya les he enseñado tu carta a Charlotte, Joaquín y a Carito, y he hablado de ella con todos los amigos que me encuentro; demasiada gente aquí no se da cuenta de lo que está sucediendo en Europa. Creen que los *krauts* siguen portándose correctamente.

Vi en los noticieros la entrada de los americanos a París y la caminata del general De Gaulle hacia Notre Dame sin inmutarse bajo las balas. Fue un espectáculo formidable.

Las niñas, en Veracruz con los Braniff durante diez días, me escribieron que nadaban todos los días. Les hará mucho bien, las dos han crecido mucho desde que las viste y estoy empezando a creer que Kitzia va a ser una muchacha preciosa, lo cual compensará un poco su falta de interés en los estudios. Es como tú, fuerte como un toro y a veces hace unos berrinches espantosos, pero su corazón es de oro, y como decía tu madre: "Me parece perfecta". Sin embargo, he sido un poco severa con ella porque su carácter así lo requiere. Elena es adorable como siempre y, desde ahora, más inteligente que sus padres.

Tu papá pensaba ya en su futuro en la ITT, pero todavía era soldado.

No les he podido responder porque estoy en el campo de batalla casi todo el tiempo. Ha sido difícil para mí tener la mente en claro. Sabes, darling, pienso en ti y en las niñas todo el tiempo y no debes preocuparte si por una razón u otra no recibes cartas regularmente. A lo largo de toda esta experiencia de avanzada he llegado a conocer realmente Francia porque he visto regiones que son infinitamente más bellas que aquellas por las que atravesé durante la derrota de 1940. Acabo de regresar con mis oficiales después de algunos días en la rue Casimir Périer. Nada ha cambiado y nuestras cosas, así como las de la rue Berton y las de Bichette, están en orden. Tenemos suerte, pero no creo que sea tan importante. Bichette está bien de salud, pero en vista de la falta de comunicaciones, dudo si podrá venir a Francia desde Italia por algún tiempo. Sé que hasta hace poco se las arreglaba para enviar noticias a sus amigos. Vi a Carmen y a Pierre antes que a nadie, a los

Yturbe de la Place, Charley Béistegui, Bertrand y María de Maudhuy, todos muy bien, y les di buenas noticias tuyas. Estaban, claro, encantados. A mi hermano Stan lo encontré de chiripada. Hizo muy buen trabajo. Babou está en el Cuerpo Franco haciéndolo bien; de Philippe no tenían noticias; la última fue que lo habían lanzado en paracaídas con Mickey. Días más tarde recibí noticias de Philippe, pero nada de Mickey. De la gente que conoces que resultó muerta están Jean d'Aulan, que me había seguido a África, Loulou Murat, Armand d'Audiffred y otros. Vi al coronel Behn, muy amable como siempre pero la situación es un poco complicada porque, como puedes imaginar, estoy amarrado aquí. Mi amigo Rabuteau quiere que regrese con él a la ITT. Por otro lado, Morgan y Paulet han vuelto a sus viejos trucos. No los he visto porque en París estoy *on official duty*. Además, la guerra no ha terminado. Espero que se les haga justicia a aquellos que dan lo mejor de sí mismos. Aparte de eso, Jean Conrad y Renée Hottinguer están muy bien; él también está destacado con el ejército estadounidense y está contento de poder vivir en su casa y hacer vida más o menos normal.

Mañana regreso al frío y al lodo. Claro, después de mis meses en Montecassino y el hecho de que desde el desembarco estoy de nuevo con mi vieja Tercera División, me hace sentirme como un oso viejo.

El 19 de octubre de 1944 le escribí a tu papá:

Esta mañana fui a misa pensando en ti porque hoy es tu cumpleaños. Le pedí a Dios que te cuidara y te diera muchos años por vivir. Espero que me haya oído. Desde tu carta del 26 de agosto no sé nada de ti; de eso hace ya un mes, ¿te imaginas lo ansiosa que me siento? Las niñas también están preocupadas por tu silencio. Tan pronto como recibas ésta, envía un telegrama o escribe de inmediato. Hace una semana te envié una carta con dos fotos mías ¿la recibiste?

Espero que estés bien y que la falla se deba al correo que ha sido demorado o perdido.

Estoy decepcionada de ver que la guerra va a tardar más de lo que yo esperaba. Quiero verte y ver mi amado París, y el tiempo se me hace muy largo. Desde hace una semana el frío es intenso en México y pienso con terror en el frío que ustedes deben estar sufriendo. Vi en los periódicos que había llovido mucho y que tenían que luchar en el fango.

Por fin el 11 de noviembre de 1944 tuve noticias.

No deberías preocuparte tanto porque ahora me han dado un trabajo que no me mantiene siempre en la línea de fuego. Desde el *Día D* he estado trabajando con la Tercera División, mi vieja división de Italia, la única, según los muchachos que pertenecen a ella, pero por el momento me tienen de nuevo en el cuartel general. Ethel Mary me envió un estupendo par de calcetines que me resultaron muy útiles y que agradecí. Desde hace una semana está nevando, lo cual resulta mejor desde todos los puntos de vista.

¿Recibiste los cien dólares que te envié hace un tiempo para comprar un regalo de Navidad para las niñas y para ti? Por lo que se refiere a la propuesta de tu madre para comprar la casa junto a la suya, me parece que vale la pena. Creo que olvidé decirte que por fin recibí noticias de Mickey y de Philippe, que fueron lanzados en paracaídas antes del *Día D* e hicieron un excelente trabajo. Mickey todavía está en el hospital porque lo hirieron, y a Bi también lo dieron de alta durante tres meses por razones de salud.

El 26 de noviembre le respondí:

Mis pensamientos te acompañaron el 19 de noviembre, ¿recuerdas?, nos casamos ese día hace catorce años. ¡Qué experiencia! ¿No somos ya un viejo matrimonio? Pasé el día en Cuautla, cerca de Cuernavaca, con las niñas en una enorme alberca de aguas azufrosas muy buenas para la salud, ¡pero llena de gente horrible! Sin embargo, les hizo mucho bien a las niñas, que regresaron con las mejillas sonrosadas. Nos quedamos dos días en la pequeña y encantadora casa de una amiga.

Acabo de comprar la casa cerca de mamá. Todos dijeron que era muy buen negocio. Mamá está encantada de que vayamos a ser vecinos y las niñas también están muy contentas. Tendrán un jardín y un columpio.

Mamá la va a arreglar de maravilla y cuando regresemos a Francia será fácil alquilarla a un buen precio.

Charlotte y Miguel van a llevarte un buen cinturón con hebilla de plata con tus iniciales, no como aquel que compraste, y te darán noticias nuestras. También te dirán cuán ansiosa estoy de regresar a Francia, a menos de que vengas aquí cuando todo haya terminado. Estoy segura de que disfrutarías mucho la vida en México, especialmente con una bonita casa nueva. Todos dicen que debería empezar a preocuparme por mis papeles para estar lista para irnos. ¿Cuál es tu opinión?

El 1 de diciembre le escribiste muy contenta a tu papá:

Mamá dijo que nos iba a mandar a tomar clases de equitación porque no sabemos montar en silla inglesa, sólo en la silla charra de las haciendas. A lo mejor vamos a Cuernavaca durante las vacaciones, pero aún no es seguro. Pasé bien mis exámenes porque tuve dieces, nueves, ochos y un solo siete en geografía porque no sabía nada de los astros como Venus, Júpiter, la Osa Mayor y la Menor.

Me gustaría mucho que vinieras y que después tuviéramos un hermanito. Mamá dijo que tendríamos uno cuando vinieras, pero no es seguro.

A lo mejor dentro de dos meses, cuando esté lista la casa de la colonia del Valle, viviremos en ella y tendremos dos perros: uno para Kitzia y otro para mí, porque *Mamy-Grand* nos va a dar uno a cada una.

Dinos qué te hace falta, mi querido papacito adorado. Te abrazo con todo mi corazón y te doy mil besos. Tu niña que te adora.

El 1 de enero de 1945 tu papá todavía estaba en el frente y me describió su Navidad.

Personalmente me llevé una sorpresa porque la gente del pueblo donde estoy, cerca del frente, prepararon un árbol de Navidad y en una caja de madera pusieron, para mis dos oficiales y cada uno de mis hombres, una pequeña botella de *kirsh*, unas cuantas galletas, algunas manzanas y nueces, con un mensaje mal escrito: "Feliz Navidad a nuestros libertadores". Todo muy conmovedor y sincero. Uno de ellos hizo un discursito al que respondí emocionado. Esta pequeña ceremonia tuvo lugar después de misa de medianoche en una capilla del siglo XVII, la primera misa de medianoche en cinco años, y creo que ninguno se quedó sin comulgar. Recibí una lindísima tarjeta de Navidad de Lydia anunciando un paquete que llegó al día siguiente. Aprecié sobremanera los Delicados, también mis muchachos. El jabón ayudará parcialmente a que me limpie, aunque resulta difícil bañarse con agua fría a 13 grados bajo cero. Perdóname por mencionarlo, pero si es posible ¿podrías enviarme algunos pañuelos? No sólo he perdido aquellos que compré contigo en Estados Unidos, sino que los que tenía antes han desaparecido. Avísame sí recibiste los 100 dolares que te envié hace más de ocho semanas.

Marguerite está ahora en la rue C.P., como me dijo Stan por carta recientemente. Stan vivió allí unos cuantos días con Bi y Babou. Mickey se está recuperando de una bala que le atravesó el brazo. La vida es muy dura, la sobrellevamos con una sonrisa y sin pensar mucho.

Dos meses después tu papá seguía en el frente.

Vino hasta acá Jacques Darcy y me entregó el cinturón que mandaste hacer. Lo traigo puesto y estoy encantado con tu regalo. Muchas gracias. No he regresado a la rue C.P. desde noviembre y no he visto a mi padre. La nieve se está derritiendo, el lodo de nuevo nos llega hasta el cuello y la mayor parte del tiempo los caminos están en pésimo estado.

Recibí malas noticias por medio de Jean Hottinguer. El hijo de André, Marie André, murió de una bala en la cabeza cuando salía de su tanque. Mi hermano André no está muy lejos de un lugar al que algunas veces tengo que ir y trataré de verlo. Pobre Frances, debe estar desesperada. Es la guerra, pero es muy duro para ellos porque él es el mayor y el único. ¿Sabes que ahora ya puedes escribirle a un civil a Europa? Quizá tú y las niñas podrían escribirle a mi padre, y las niñas también a Frances y a André. Bi está todavía convaleciente, pero Mickey está de nuevo en la guerra.

Paulet ya tomó mi lugar en la Commercial Cable, lo cual es normal, pero en cierta forma lo resiento porque son siempre los mismos los que sacan ventaja de la situación mientras otros pelean en unidades de combate.

¿Cómo van las clases de equitación de mis hijas?

Recibí una carta de tu tío Cash, a propósito de Johnny, su hermano menor:

Jamás olvidaré la forma en que se ocupó de Michel en Argel, ni cómo le dio albergue y lo cuidó cuando tuvo una suerte de paperas en el curso de uno de sus permisos en París.

Toda la vida lo recordaré tal y cómo se me apareció en 1945, el pecho constelado de condecoraciones, orgulloso de su récord de guerra. Su orgullo sólo se igualaba al de su padre, quien me comunicó en una carta los textos de sus citaciones. Esta carta y estas citaciones están hoy cuidadosamente guardadas en mis archivos de Le Rouret en espera de depositarlas en la sección correspondiente a nuestra familia en los Archivos de Francia.

Grado definitivo: Capitán de Caballería
Paracaidista
Comandante de la Reseva
Condecoraciones francesas:
Legión de Honor militar
Dos cruces de guerra
Medalla de los evadidos
Medalla de los combatientes voluntarios
Medalla de los voluntarios
Medalla de África del Norte
Medalla de la Campaña de Italia

Además del Purple Heart estadounidense, tu papá recibió la siguiente citación del presidente Harry Truman para la Legión al Mérito, grado de Legionario de la Casa Blanca, Washington:

El primer teniente Jean E. Poniatowski de Caballería del Ejército Francés, mientras servía en la Sección de Servicio Estratégico G-2, Tercera División de Infantería, de agosto a noviembre de 1944 se distinguió repetidamente a través de acciones heroicas al infiltrarse e infiltrar a otros en las líneas enemigas. Como resultado de su devoto cumplimiento del deber y de su experto desempeño en muchas misiones peligrosas, obtuvimos información de gran valor. Sus servicios contribuyeron en gran medida al éxito de la Tercera División.

Las líneas enemigas

❦❦❦

$\mathcal{E}$ l 20 de marzo de 1945, Frances, mi cuñada, me escribió una carta a propósito de su hijo Marie-André, muerto en Phillipsland, Holanda, el 22 de enero. Lo vio ocho días en total desde el inicio de la guerra. La última vez que fue a París se quedó cinco días y lo esperaba para el fin de año, pero el ataque alemán lo impidió.

La carta dice:

Después de haber participado en el combate más duro en Normandía, el sector holandés parecía tranquilo y estábamos menos inquietos aunque los alemanes conservaban algunos reductos frente a las posiciones aliadas y de vez en cuando sonaban las balas. Eso fue lo que se produjo esa noche y Marie-André, que dirigía la maniobra de esos tanques, fue herido de bala en la cabeza, de pie en su torreta.

Los polacos le otorgaron la cruz de plata Virtuti Militari a título póstumo y permitieron que su cuerpo fuera llevado a Mont Notre Dame por los cuatro hombres de su tanque y dos de sus amigos oficiales.

Las pérdidas han sido muy pesadas estos últimos tiempos. Muchos camaradas de Marie-André cayeron y uno no puede hacerse a la idea de ver desaparecer seres tan jóvenes, tan llenos de promesas para el futuro, cuando uno queda atrás sintiéndose tan poco útil.

Hemos recibido cartas de Jean, que parece estar en buena salud y anuncia su venida a París dentro de un mes, más o menos.

Papá también habla de venir unos cuantos días y yo espero ir a Londres para retomar los asuntos que Marie-André pudo dejar pendientes y recoger algunos de sus efectos personales. Ansío volver a verte, así como a las niñas, pero la vida aquí es todavía difícil y ustedes están mejor allá. Te beso, querida, tierna y tristemente.

Frances

Acerca de Marie-André apareció un artículo en el semanario *Defilade*.

Era de los que uno sabe que tienen alma porque ésta se transparentaba en su mirada, recta, límpida y ardiente. Era de los que hacen suya la palabra del gran cristiano y del gran francés que fue Charles de Foucauld: "Cuando duden acerca de su deber, escojan siempre el camino más difícil".

Era de los que piensan que su nacimiento y su situación privilegiada obligan a estar también en primera fila frente al peligro.

Era de los que, descendientes de emigrantes polacos,

al sentirse hijos de dos patrias, la de ayer y la de hoy, sueñan con servirles por igual a una y a otra.

Porque se llamaba Poniatowski, había salido de Francia, su patria mancillada por la ocupación alemana, para alistarse en Escocia en un regimiento blindado de la Primera División Polaca. Sus camaradas fueron testigos de su voluntad a toda prueba para aprender el idioma polaco y conquistar sus galones de oficial. Sintieron que estaban frente a un hombre de élite y lo amaron.

Francés en el ejército polaco, sin duda el único oficial francés en este ejército, añadió un sólido eslabón a la tradición del sacrificio mutuamente aceptado. Hace 130 años el mariscal José Poniatowski cayó por Francia, Marie-André Poniatowski acaba de caer por Polonia porque una noche, cuando hacía frente al enemigo, una bala vino a pegarle a este alto y bello muchacho, imagen viviente de la unión de Polonia y de Francia.

Daddy me escribió que después de la muerte de Mother, la de Marie-André había sido la más cruel de las pruebas, y para sus padres un verdadero derrumbe.

Vi a Johnny en París hace dos meses. La guerra ha sido para él una experiencia psíquica y moral de la cual ha salido admirablemente. Tengo aquí sus citaciones que son soberbias.

Poco a poco he transformado Les Bories: ocupo el cuarto que era de las niñas en la planta baja y convertí en baño la pequeña recámara del frente en la que vivía su institutriz. Los recámaras de arriba son para los invitados. He redondeado la propiedad, que tiene ahora setenta y dos hectáreas; vivo aquí la mayor parte del año y voy a París como provinciano, de vez en cuando y sólo durante algunos días. He retomado mis memorias, lo cual me ocupa mucho tiempo. Escribo una genealogía documentada sobre la familia y mis tardes y noches transcurren frente a mi mesa de trabajo. El cuidado de la propiedad ocupa mi tiempo del día. Terminé la tumba de Mother, íntegramente en piedra antigua, en una casa del siglo XVI pegada al cementerio en medio de un jardín. Será nuestra última morada y quizá la mejor.

El 20 de julio de 1945, Daddy me escribió de nuevo:

Recibí ayer de Nueva York un delicioso paquete de parte tuya, enviado supongo a través de Lydia ¿o estás allá? El contenido es tan fresco, variado y distinto a todo lo que tenemos aquí, que es una verdadera alegría. Lo único que necesito es no equivocarme y no comer el jabón y lavarme con la crema de trigo. El chocolate es particularmente bueno, ¡tan fino como el mejor de Nestlé!

Estuve por primera vez enfermo en junio, una bronquitis que pesqué mientras cortaba heno a pleno sol en el campo. Supongo que tendré una insolación en enero, ya que todo está al revés. André sigue movilizado y ahora se encuentra en Francfort. Michel probablemente será dado de baja en noviembre. Elizabeth acaba de estar dos meses en Alemania como asistente social o socorrista, algo ligado a la Cruz Roja.

Tu papá me escribió que había pasado 48 horas en Les Bories con Daddy:

[...] en excelente estado de salud, trabajando de la mañana a la noche. Fuimos a orar sobre la tumba de Mother, que se encuentra, tal y como te explicó, cerca del cementerio de Francoulèse, en una vieja casa al estilo del país, sencillo, pero todo está arreglado con mucho gusto, y un pequeño jardín con pasto y flores en la entrada. Espero poder darte definitivamente a principios de agosto la fecha de mi llegada a México.

Sobre una hojita de papel Johnny recogió el epitafio compuesto por su padre para su tumba:

Aquí descansan en paz André Ciolek, príncipe Poniatowski, y a su lado, su esposa bienamada, Elizabeth Sperry, princesa Poniatowska, cuya memoria quiso perpetuar edificando este santuario destinado a conmemorar las virtudes con las que no dejó de realzar, durante medio siglo, la tradición de su raza y el honor de su nombre.

Tu papá llegó a México y nos instalamos en la casa de La Morena, a la sombra del gigantesco sabino, al lado de la casa de mamá. Jan, el hermano que tú y Kitzia deseaban, nació el 9 de marzo de 1947.

Tu padre y yo decidimos quedarnos a vivir en México. A instancias de Raoul Fournier montó un laboratorio médico y, finalmente compró un restaurante: La Torre Eiffel. Nunca fue un buen hombre de negocios. Nunca entendió ese complejo mundo de competencias. Era un idealista, un romántico. En La Torre Eiffel le daba vergüenza cobrar. Su mayor triunfo fue, sin duda, la construcción de la casa de Los Nogales, en Tequisquiapan.

A ustedes las enviamos al Sacred Heart Convent, en Torresdale, Philadelphia, en el que permaneciste dos años escolares. Kitzia sólo aguantó un año. En Estados Unidos las recogimos para viajar juntos: papá, mamá, Elena, Kitzia y Jan, por primera vez a Francia, después de la guerra, a ver a tu abuelo. Digo cinco pero en realidad fuimos seis porque nos acompañó la nana de Jan, la leal Lupe, que tuvo tanto éxito con los gendarmes de París, ¿recuerdas?

Cuando mamá dejó su casa de la calle de Berlín por la de La Morena, mudó también a todos sus perros, Me pregunto cómo lo logró porque eran una veintena. Sin duda la ayudó la señorita Guillermina Lozano, quien tocaba el arpa en la Sinfónica Nacional y cuya casa atestada de perros y gatos hacía huir poco a poco a todos sus alumnos. Las clases de arpa se volvían inaguantables por el olor de los animales. Incluso afuera, en la calle, y dentro de mi automóvil, ella misma olía a perros y gatos. Por fortuna, había un ancho patio trasero en la casa de mamá, lo cual hacía que casi no se les oyera. Los había mandado castrar, eran gordos y tranquilos. Dos chiquitos vivían entre su baño y su recámara y dormían sobre su cama.

Entre sus protegidos, un viejito venía a verla con su perro "Chocolate", pero como dejó de venir, mamá se inquietó por él y salió en su búsqueda. No resultó fácil, sabía vagamente que vivía en un terreno baldío cerca de Santa Fe, nombre predestinado, y a fuerza de paciencia terminó por encontrarlo en un tubo gigantesco. Se había lastimado la pierna al caer, quizá sobre una piedra. Trajo a Chocolate y a su dueño en taxi y los instaló en su casa. Para nuestra diversión vimos al viejito elegantemente vestido fumando sus Faritos, mandados a traer para él de una tienda tras de Catedral, meciéndose todos los días bajo el sabino de su jardín. Le pusimos "The third man".

No era el único protegido de mamá, también el doctor Rojas Loa, quien tenía una horrible bola negra cancerosa sobre el rostro, la Fraulein Von Lindt, que vivía en el asilo de los perros, olía mal y a quien mi madre invitaba a una deliciosa comida semanal. Mamá tenía espíritu de contradicción. Si con los pobres era espléndida, al invitar a Piedita Yturbe de Hohenlohe, la comida resultó más que frugal, la botella de vino ya abierta y a medias y en la compotera flotaban cinco desgraciados duraznos que mortificaron a Lydia y a Bichette mientras que mamá lucía una sonrisa maliciosa.

Las voluntarias de San Vicente de Paul se dieron cuenta de mi presencia en las misas de ocho en la iglesia de La Piedad y me pidieron formar parte de su asociación. Gracias a mis visitas a domicilio llegué a conocer a los habitantes en la vecindad de la Parroquia. Vivían en casas cubiertas de techos de cartón. Las mujeres ganaban su vida lavando ropa, se notaba la ausencia de los hombres que desaparecían para formar otras familias. Los niños y las madres, abandonados a su suerte, eran recogidos por sus vecinos con una generosidad que nos sorprendía. Una de ellas respondió a mi pregunta de por qué no se casaba: "Si sólo tenemos siete años de conocernos"… y a otra, a quien le pregunté la razón de tantos niños me soltó estas palabras: "Ellos chiflan y nosotras vamos".

Caritas organizó una distribución de harina de trigo, de maíz y de leche en polvo. La obra de San Vicente me pidió encargarme de su funcionamiento. Todos los miércoles en una de las salas de la parroquia se les repartió a unas sesenta familias, en total de más de setecientas personas.

El presidente Díaz Ordaz rechazó la ayuda de *Caritas*, con el pretexto de que México se bastaba a sí mismo.

Mamá me contó que papá también perteneció a San Vicente de Paul y que cada semana visitaba a los pobres. Este acercamiento a mi papá me dio mucho gusto. Además, ¿acaso no heredé la cuenca y los ojos café de mi padre?

Un día que caminaba por la colonia Pensil, donde un ingeniero muy caritativo había construido un dispensario, saludé a dos mujeres, pero nuestra conversación se vio interrumpida por unos gritos espantosos: "Es un hombre que está pegando a su mujer... no vaya porque también le pegará a usted". Me liberé de sus brazos que intentaban detenerme y corrí hacia donde venían los gritos. La puerta se abrió sin resistencia. Un hombre agachado sobre la cama le pegaba con un bastón a una mujer acostada.

Le arranqué el bastón con la mayor facilidad. El hombre, estupefacto porque no me había oído ni visto, se volvió hacia mí, pero sus ojos miraban con fijeza encima de mi cabeza. Miré hacia la pared las imágenes piadosas del Sagrado Corazón, de la Virgen de Guadalupe y otras más alumbradas por una veladora. Se hizo el silencio. Me decidí a hablar:

—¿De qué sirven todas estas imágenes y esta religión que no practica? ¡Qué vergüenza! —Y luego añadí—: Podría ir a la cárcel.

Él me contestó:

—Ya he ido.

Se fue dejándome sola con la mujer, joven y bonita. Ella

me contó que le pegaba con frecuencia debido a celos imaginarios.

Cuando regresé algún tiempo después, me acogió en el
lavadero con una sonrisa feliz: "No, ya no me pega".

A unos metros, él reparaba un cochecito de niño. A mi
saludo, respondió con un gruñido...

Testimonio

A media noche se abrió la puerta dejando pasar una sombra blanca. La luz de los faroles se filtraba a través de las persianas y rayaba el largo camisón que avanzaba hacia la cama.

—¿Qué te pasa?, preguntó la hermana mayor.

Una voz temblorosa le respondió:

—Vine a dormir contigo.

—Pero, ¿qué tienes?

—Es el diablo. No es la primera vez que viene a mi cuarto, pero esta noche su gran mano negra y peluda salió de debajo de la cama, a un lado de mi cara y trató de jalarme.

Bichette sonrió.

El alivio de la pequeña Paulette fue inmenso al no oír la exclamación burlona que la pondría en ridículo, sino la frase amistosa que no hacía pregunta alguna, el ademán amplio que le abría la cama en la cual olvidó, con la facilidad de la infancia, la aparición horrenda del animal encorvado con orejas puntiagudas y larga cola enroscada que desde el rincón de la chimenea la había mirado con sus ojos de brasa.

Sólo lo recordó mucho más tarde.

1951

En el seno de mi desesperación, llamé al Señor y Él me acogió.

Una noche que estaba particularmente desesperada, hice una oración. Le expresé a Dios mi deseo de regresar a Él, de acercarme de nuevo a los Sacramentos.

Por desgracia, mi fe ya no era la misma y no veía razón para cambiar mi vida. Sólo un milagro podría transformarme y yo no creía en los milagros.

El espíritu sopla por doquier. Se escucha su voz, pero no se sabe de dónde viene ni a dónde va.

La primera vez que vi al padre Paul Lefaubel fue en el IFAL. El grupo de los jóvenes representaba *La anunciación hecha*

a María, de Claudel. Elena me habló de él con tal entusiasmo que a primera vista me decepcionó. Durante el entreacto cuando me detuve frente a él, sentado en el extremo de una banca, nos lanzó a mí y a otras señoras que estábamos de pie, estas palabras:

—Vine de Francia para predicar la cuaresma y les ruego a ustedes, señoras, que se conviertan porque el viaje cuesta caro.

Y soltó una carcajada.

Me dejó sorprendida. En vez del esperado eclesiástico tenía frente a mí a un hombre joven medio sinvergüenza.

Algunos minutos más tarde le presenté a Kitzia. La miró de arriba a abajo porque era más chaparro que ella y exclamó: "¡Qué diferencia con Elena, ésta ya es una mujer!".

Le desconcertó que le respondiera de golpe:

—Juzga usted a la ligera, padre, todavía es una niña.

Su ataque no me gustó, pero después, para complacer a Elena que me lo pidió, lo invité a cenar.

Su expresión cambió, se hizo grave para decirme que la respuesta me la daría en la iglesia porque debía yo ir al retiro.

¿Por qué me sentí desarmada y curiosamente obligada a pesar de mi mala impresión? Siempre pensé que sería una hipocresía de mi parte ir a cualquier retiro. Pero he aquí que el del padre Lefaubel no era cualquier retiro.

Lo vi por segunda vez en la iglesia francesa, donde predicaba la cuaresma a las mujeres. Su voz tenía un timbre extraordinariamente cálido y envolvente, y su rostro muy blanco, rodeado de cabellos negros, se destacaba sobre el fondo de la iglesia. Hablaba sin un ademán. Las cosas que decía eran esenciales y simples, directas. Inmóviles en sus bancas, las mujeres escuchaban subyugadas. Fue durante el segundo sermón que la conmoción se produjo. Como llegué tarde, me senté en las últimas bancas del Colegio de Niñas. El padre hablaba de la fe (desgraciadamente me siento incapaz de reproducir sus palabras, pero voy a intentar mi interpretación). La fe es como el amor. Basta un momento de fe o de amor en una vida para que ese momento sea el verdadero, el que cuenta en la eternidad, el minuto de absoluto. Si después uno no cree o no ama, es ese momento el de la verdad. En efecto, ¿podremos recordar los millares de momentos que componen nuestras pobres vidas? ¿Todos esos momentos de tedio, de grisuras repetidas? En cambio, el minuto en el que nuestro corazón late más fuerte, se inflama de júbilo al encontrar al ser amado, se queda para siempre. Infinitamente conmovida, el padre Lefaubel me hacía comprender al fin lo que es la vida; los momentos de absoluto que no podremos olvidar jamás. ¿Nos acercarían a otros momentos en los que el ala de Dios nos rozó, ese estremecimiento de alegría luminosa que nos da el gusto anticipado de su gloria y, durante un instante, la certeza de su amor?

El padre Lefaubel llegó con media hora de retraso a otro de los ejercicios espirituales, pero nadie pudo tomárselo a mal, tan sincera fue la preocupación con la que se disculpó.

El tema era la Santísima Virgen, pero habló tan poco de ella que el título de su sermón hubiera podido ser el silencio en el que transcurrió toda la vida de la madre de Dios.

¿Fue ese día u otro? No lo sé, pero tuve mi primera impresión de extrañeza cuando pasé frente al altar para ir hacia la sacristía donde él me había citado. De pronto me di cuenta de que yo estaba adentro de la iglesia y él afuera.

Me había pedido:

—Espéreme en la calle, la gente habla con tanta facilidad.
Caminaba yo por la calle cuando bruscamente lo oí a mis
espaldas y tuve un sobresalto de miedo.

—Diríase que somos dos enamorados —le dije con reproche.

—Eso es lo que somos —me respondió.

El 16 de marzo, vino por fin a cenar. Había invitado a mi
hermana Bichette para que lo conociera. Después de la cena,
Johnny y Kitzia subieron a acostarse, Elena tenía ganas de
quedarse, pero el padre le aconsejó que subiera también
porque ya era tarde o quizá porque tenía ganas de hablar a
solas con Bichette y conmigo. Tenía predilección por ti,
Elena, te llamaba Blanca por tu inocencia y porque le parecía
que ése debía ser tu nombre. Antes de que nos dejaras con
muchas reticencias, el padre te retuvo y te dijo con una gran
convicción:

—Recuerde usted, Blanca, que debe seguir siempre su
instinto. Nunca se equivocará.

Cuando nos quedamos solos los tres, la conversación se
entabló entre el padre y mi hermana:

—Ah, es usted muy inteligente —comentaba él con cierta
admiración—, pero, ¿por qué habla con la cabeza, porque
habla desde arriba y no desde abajo? —y señaló el lugar de
su corazón.

Yo escuchaba en silencio, pero en un momento dado nos
miramos Bichette y yo porque nos contaba de una mujer que
había sido todo para él, una mujer que él llamaba Jeannne.

No fue sino hasta la despedida que se interesó en mí:

—¿Cuantos años tiene usted?

—Cuarenta y dos años.

—Es usted una mujer muy bonita.

Lo dijo como si constatara un hecho, así que le respondí en la misma forma:

—Gracias, padre.

A otra pregunta directa le contesté que hacía diez años que no comulgaba.

—¿Por qué?

—Porque no soy digna de ello.

Él respondió con sencillez:

—Es por eso que yo comulgo, porque no soy digno.

Lo fuimos a dejar al Colegio de Niñas. Era muy tarde y no tenía el menor deseo de entrar:

—Me asfixio entre estas paredes.

También se lo dijo a Johnny, quien seducido por él, al igual que nosotros, le ofreció su pabellón en el fondo del jardín en el que seguramente descansaría mejor que en clausura.

Fue una verdadera alegría cuando nos llamó una semana más tarde para decirnos que vendría a vivir a la Morena.

El 23 de marzo el padre vino de nuevo a cenar, nos invitó a la misa del día siguiente, domingo, y fuimos Bichette y yo a las nueve de la mañana. Después desayunamos con él en Sanborns.

En el momento de la comunión sentí un gran deseo de comulgar, pero miré al crucifijo sobre el altar y me pareció que me decía con sonriente indulgencia: "Puedo esperar". El padre Lefaubel estaba despechado por que no comulgamos y cuando le conté a Bichette la atracción que había experimentado, me dijo que ella había sentido exactamente lo mismo.

El 26 de marzo, vino a vivir al pabellón.

A partir de ese momento, nuestras vidas empezaron a girar en torno a él. Vivíamos enfebrecidas, pendientes de sus actos, de sus palabras, de su persona; vivíamos en función de su mirada. Incluso tu papá estaba hechizado. Esperábamos al padre a la hora del desayuno, lo esperábamos a medio día, lo esperábamos por la noche. Los miembros de la colonia francesa lo llamaban muchísimo por teléfono y tú, Elena, te convertiste en su secretaria y tomabas puntualmente todos los recados. El padre Lefaubel les daba cita a los franceses en nuestra casa y los recibía en el saloncito del pabellón de Johnny. Lo prefería mil veces a la iglesia francesa, que todos conocemos como el Colegio de Niñas, en la esquina de Bolívar e Independencia, frente a la fuente de las ranitas.

Una tarde lo busqué para confesarme y al no encontrarlo en la iglesia francesa, fui en pos de otro sacerdote de quien me habían hablado bien. Al no hallarlo tampoco, regresé a casa y vi al padre sentado en el jardín contigo, Elena. Cuando le conté que lo había buscado para confesarme, me escrutó con la mirada:

—¿Qué es para usted la confesión?

—Una purificación.

—Entonces confiésese.

No me propuso que lo hiciera con él, además, ya no tenía yo ganas.

Todas las noches de esa semana desperté a las dos de la mañana y leía con cuidado los cuatro Evangelios. A las siete dormía una hora y a las ocho me sentía lista para enfrentar el día, el espíritu alerta, sin la menor huella de cansancio.

Una mañana oí a mamá que me llamaba desde el jardín, cuando me vio en la ventana se puso muy contenta y me dijo con amor:

—¡Qué buena cara tienes!

Si supieras, mamá.

El padre la había conocido en mi casa y miró con cierta hostilidad su rostro bajo el sombrero de carrete y, sobre todo, la medalla de oro de la Virgen de Guadalupe que colgaba sobre su pecho. Más tarde tuvo la osadía de decirme:

—No me gustó mucho su madre.

—Pero, ¿por qué?

—Por esa medalla rodeada de diamantes.

Tampoco pareció gustarle mi niño Jan, de cuatro años, nunca lo vi pasarle la mano sobre los cabellos. A la mitad de una conversación en el jardín, se interrumpió porque Jan brincaba de la mesa para abajo frente a nosotros y le dijo:

—Tú, mi pequeño hombrecito, estás haciendo *show off*.

Pobre muchachito, simplemente quería que nos ocupáramos de él.

Pablo, puesto que quería que así lo llamara, me acompañó una mañana al súper. Plantificado entre las hileras de víveres, pensaba con una concentración tan intensa que casi no vio cómo escogía yo rápidamente, sin olvidar nada (por una vez), lo necesario para la casa. Me intrigaba; "¿En qué tanto pensará? A lo mejor en la manera de convertirme". Sonreí para mí misma, debía tratarse de algo más importante. Jamás lo supe.

Una tarde lo llevé a dar una vuelta en mi carro. El padre hablaba y yo no lo oía. ¿Qué estaba pasando? Le enseñé Las Lomas, le gustó la avenida de Los cipreses y después…, él discurría y miraba mi pecho ¿o era tan sólo una idea mía? En todo caso yo estaba interiormente sorda. Acabó por darse cuenta, porque me preguntó irritado:

—¿Acaso será usted tonta?

Sin embargo, recuerdo que esa tarde me contó que la locura lo acechaba, que era un hombre agotado —ingería pastillas para dormir y otras para despertar—, que la Iglesia estaba muy mal. Esto lo repitió más de una vez. Le inquietaba el problema de los negros, de la miseria, pero sobre todo la cuestión del hombre sobre la Tierra. Me dio un paquete de cartas de Jeanne para que las leyera.

Una noche estábamos en la cocina él, Johnny y yo. Había tomado la costumbre de hacerle huevos estrellados cuando volvía tarde a la casa y de golpe, Paul Lefaubel nos dijo con solemnidad:

—Escúchenme bien, Paulette y Jean, escuchen bien lo que tengo que decirles: ustedes dos serán una pareja histórica.

En otra ocasión, al entrar a mi recámara, encontré a Kitzia acostada sobre mi cama y al padre que le masajeaba la frente. Fui hacia mi tocador y empecé a cepillarme el pelo con coraje, el padre me miró y debió comprender que estaba enojada.

—¿No sabe usted que puedo quitar los dolores de cabeza?

—Sí, mamá —dijo Kitzia—, ya no me duele nada.

Recuerdo una conversación en la que Elena y Kitzia estaban presentes. El padre hablaba de las mujeres que tienen demasiados hijos y también de aquellas que permanecen vírgenes y nos decía que eso sólo producía frustraciones y que la frustración siempre es inútil. Cuando me tocó hablar, le expuse mi punto de vista que no era el suyo y le cité dos ejemplos. Una amiga de mi edad, de aspecto muy joven, siempre sonriente y serena, con un marido particularmente difícil: María Teresa Riba. Sus ocho hijos, por el contrario, eran una fuente de alegría y de satisfacción. Luego le hablé de Ruquis Fernández Castelló que había permanecido virgen a pesar de numerosos pretendientes. Aunque le hubiera gustado casarse, Ruquis continuaba interesándose en todo y en todos con una gran inteligencia de corazón. El padre hizo una mueca y me respondió:

—Son excepciones.

En ese momento sonó el teléfono, fui a contestar y oí la voz de Ruquis:

—Ah, eres tú Ruquis, ¿qué quieres?

Precipitadamente me respondió:

—Figúrate que me equivoqué de número, no eres tú a quien quería yo hablarle.

Entonces, en una explosión de alegría le dije:

—Es Jesucristo que está en la casa.

En alguna ocasión, hablamos con el padre de los signos. Él me preguntó:

—¿Qué es para usted un signo?

Le respondí:

—No sé explicárselo, pero sé que existen.

Curiosamente, esta respuesta pareció satisfacerlo.

Sin duda, la voz de Ruquis en el teléfono, en el momento en que hablaba de ella, me daba la razón. Era una señal.

Tiempo más tarde jugábamos al golf y de pronto la vi, encima de un *bunker* con su palo de golf demasiado largo para ella y su gran sombrero de paja, y me hizo pensar en esas representaciones de "ángeles pastores" que se ven en las pinturas primitivas del Cuatrocento.

Veinte años más tarde, Ruquis vino a cenar y como hablábamos de la época del padre, me dijo:

—Recuerdo dos cosas; primero, que pensando en otro número marqué el tuyo por distracción y cuando oí tu voz, te dije que me había equivocado y entonces respondiste:

—Es Jesucristo el que habla.

En otra ocasión, en el golf, estaba yo encima de un *bunker* preguntándome cómo iba a sacar mi pelota y al verme dijiste:

—Tú, tú eres recta como un tejo.

Lo había yo olvidado por completo.

El 28 de marzo el padre Lefaubel daba una conferencia en casa de Richard Foix. Me pidió que lo acompañara a condición de no abrir la boca. Como no tenía la menor intención de hacerlo, me pareció muy fácil prometérselo. Llegamos antes de tiempo, a las nueve de la noche. Poco a poco la gente fue entrando y se sentó en círculo en la sala. El padre en medio, de pie, empezó a hablar, no como en la iglesia, sino como un pequeño Júpiter tonante. Desde mi sitio veía su perfil imperioso, la vehemencia con que sacudía sus cabellos; un mechón le caía en la frente. ¿Qué les decía? Que tenían los sacerdotes que se merecían porque eran unos espantosos burgueses que no pensaban sino en sus comodidades, en sus mediocres intereses; que su círculo era tan estrecho como el de la sala en la que les hablaba. ¿Estaría pensando en los sacerdotes mexicanos? Porque los de la parroquia francesa, como el padre Yves Magnin, y del Colegio de Niñas, como el padre Gabriel, eran irreprochables. Además, me pareció que los invitados de Richard Foix no podían ser considerados pilares de la Iglesia. Por lo tanto, ¿para qué los fustigaba si no iban a misa ni tenían trato con los sacerdotes? ¿Cómo podían tener los sacerdotes que se merecían si no eran católicos practicantes?

¿Por qué me impresionaron con su fealdad? Sobre todo la esposa del doctor B., que platicaba muchísimo con un señor sentado a su lado, se me hizo horrorosa. Más tarde me dijeron que ese señor era su amante. A diferencia de ella, su marido, el doctor B., era un hombre muy apuesto y también me pareció hermoso el rostro del doctor S.

El padre continuaba sus ataques, ahora en contra de los vendedores de tapetes. ¿Los había entre los asistentes?

Al final de su estancia en México, el padre Lefaubel me confesó que quizá renunciaría al sacerdocio:

—¿Qué hará usted? —le pregunté.

Rió sarcásticamente:

—Quizá me vuelva vendedor de tapetes.

Estos vendedores de tapetes parecían obsesionarlo particularmente porque habló esa noche de un hombre que no había recibido la absolución porque no creía en el ayuno de cuaresma; oía misa desde fuera y se arrodillaba en el atrio. ¿Hablaba Lefaubel de sí mismo?

Al final de la conferencia pensé que él había destruido todo sin reconstruir nada. No pude dejar de decírselo, a pesar de su mirada encolerizada:

—¿Donde está el remedio? —pregunté.

—En nosotros.

29 de marzo

El jueves por la noche dormía en el pequeño cuarto rosa que Carito te mandó pintar, Elena. Desperté, según mi costumbre de esa semana, hacia las dos de la mañana.

Perdóname, Dios mío, pero me pareció que me hablabas. No se escuchaba ninguna voz, pero tenía la certeza interior, no sabría decir si de su presencia, pero sí de su voluntad.

¿Aceptaría yo el sacrificio?

Mi emoción era tan fuerte que lloré. Sí, aceptaba. En ese momento creí comprender que se trataba de mi persona y que la separación tendría lugar cuando Jan cumpliera doce años, como si yo no tuviera que inquietarme por mis hijas, sólo por Jan, ya que no tendría la felicidad de verlo grande.

Por eso, cuando vi a Carito en su casa el sábado siguiente, le dije que yo tenía que morir y le confiaba a mi hijo.

No fue sino más tarde que me pregunté si no sería más bien él, Jan, el inocente, quien se iría.

Rogué a Dios que me llamara a mí a pesar de no ser digna de ello, pero la misericordia de Dios lo puede todo.

Esa misma noche, aún llorando, escuché la voz de Kitzia que me llamaba en medio de una pesadilla. Me precipité a su recámara:

—Mamá, mamá, el papi, el papi.

La había atrapado el terror pánico

—¿Qué te pasa, Kitzia, Kitzia?

Despertó con estas palabras:

—Soñé que el papi me echaba un huesito.

Me sentí helada porque el huesito era para mí, en ese momento, la imagen de la muerte. Muy pronto me consoló un pensamiento. Había dicho "huesito" no "hueso", lo cual significaba que no podía ser grave.

Esa noche Johnny trajo a su asistente Quiroz a cenar. Al terminar la cena, Johnny subió a acostarse. Después del café Quiroz se quedó a esperar al padre, quien llegó hacia las once de la noche, muy, muy cansado. Le dije que Quiroz lo había esperado porque quería conocerlo y el padre de inmediato reaccionó manifestando su interés. Ése era uno de los aspectos prodigiosamente humanos del padre, pero Quiroz había bebido un poco y comenzó a decirle tonterías a Kitzia quien reía. Al ver eso, despedí a Quiroz diciéndole que estábamos cansados y le pedí a Kitzia que lo acompañara a la puerta.

Cuando Kitzia regresó, vi al padre erguirse, el puño en alto, sobre la pobre Kitzia, gritándole insultos en una verdadera escena de celos: "que había actuado sin clase al coquetear con el secretario de su padre y que si él fuera su padre, la habría abofeteado".

La pobre Kiki estalló en sollozos. Yo escuché la regañiza sin pestañear. (Confieso con humildad tener reflejos lentos.) Evidentemente a Kitzia le faltó un poco de clase, pero, ¿acaso no era una chiquilla? Me levanté del sofá y la tomé entre mis brazos para consolarla. Lloraba tanto que la llevé a su recámara, pero antes de subir le dije al padre:

—Ocúpese mejor de Elena, a quien le ha calentado la cabeza.

Durante la cena no había yo participado en la discusión entre Elena y Quiroz. Éste último no comprendía las vocaciones contemplativas y Elena las defendía con cierta razón. Mientras hablaba, observé su pequeño rostro crisparse y volverse feo. Durante la conferencia en casa de Richard Foix, me habían sorprendido la fealdad de los rostros. ¿Qué estaba pasando? Kitzia sentada sobre su cama lloraba hasta partirle a uno el alma y me decía: "Siento que algo se rompe en mí". Yo sabía que decía la verdad y mi angustia aumentó. Le afirmé que el padre se había equivocado, pero ella insistía:

—¿Quién me lo probará?

Entonces le dije:

—Lo sé Kitzia, soy yo la que tengo razón.

Y me sentí por segunda vez atravesada por esa luz tan fuerte que tuve la impresión de que brotaba de todos mis poros. Kitzia me dijo atemorizada:

—Mírate en el espejo, mamá.

El efecto había pasado y vi un rostro extraño, muy blanco, con los ojos muy negros y muy brillantes, los cabellos eléctricos, casi parados en torno a mi cabeza.

Cuando Kitzia se calmó, descendí a la sala con el padre y contigo, Elena, y te ordené que subieras a acostarte. El padre me dijo a propósito de ti:

—No es nada, sólo un poco de orgullo, ya se arregló.

Yo estaba enojada y le llamé la atención:

—¿Con qué derecho le dice usted a la gente lo que tiene que hacer? ¿Qué derecho tiene usted de decirle a una joven mujer que no tenga ocho hijos? ¿Qué sabe usted si no es ese octavo hijo el que va a salvarla?

Consciente o inconscientemente empleaba yo su propio lenguaje.

El padre se puso blanco y curiosamente sentí que mi rostro estaba por encima del suyo, casi como en un cuerpo a cuerpo físico. ¿Era ése el combate con el Ángel?

Más tarde, al reflexionar y tratar de comprender, recordé una frase del padre. Después de su arenga a Kitzia se volvió hacia mí con rabia. Seguramente esperaba que yo hiciera, por fin, un gesto para defender a mi hija.

¿No me había dicho una vez: "Soy aquel que forja a los trabajadores de la última hora"? ¿Lo había tramado todo para obtener mi conversión? Era tan inteligente que podía ser capaz.

Jueves 29

La primera vez que el estremecimiento de luz feliz me sobrecogió fue en el pabellón. Annie Tardan estaba con el padre y fui a verlos. Al entrar, abracé a Annie y sentí que mi ternura por ella se transformaba en luz. Algo debió transparentarse porque el padre le dijo a Annie:

—¡Mire, mire qué bella es!

Uno o dos días antes había pasado largo tiempo en el pabellón conversando, mejor dicho, escuchando al padre. No recuerdo lo que me decía, sino más bien mi estado de ánimo. Sentada en el sillón, las manos húmedas y sudorosas, me sentía angustiada y sin fuerza. Después de la cena, cuan-

277

do regresé al pabellón a darle las buenas noches al padre y a Annie que se había quedado a cenar con él, la encontré en el mismo sillón, las manos crispadas, el rostro blanco. Pensé: "Mi vieja, ahora te sientes como yo me sentí". Y el personaje de Rasputín que enloquecía a las mujeres —acababa yo de leer una de sus biografías— me vino a la memoria. Siempre tuve la curiosidad de preguntarle a Annie lo que pensaba del padre, pero la sentí reticente y nunca se presentó la ocasión.

Viernes 30 de marzo

El padre Thomas Fallon vino a comer con mamá. Era su amigo y su confesor. Era también el decano de los Misioneros del Espíritu Santo.

Sacerdote a los cincuenta años, vino de Irlanda para ayudar a los misioneros. Había sido el confesor de Conchita Cabrera, su fundadora, y hablaba de ella con una admiración sin límites. Después de una discusión con un jesuita que sostenía que la canonización de doña Conchita no se efectuaría mientras hubiera un jesuita sobre la Tierra, el padre Thomas, con su ojito malicioso, le respondió que no sabía que la orden de San Ignacio estuviera tan cercana a su desaparición.

Elena, tú decías de él:

—Es una hostia.

Tenía de la hostia la blancura transparente y sus ojos azules, a ratos graves, a ratos chispeantes, estaban siempre atentos. Su memoria era prodigiosa y recitaba fácilmente poemas que venían al punto para esclarecer una situación. Una de las últimas veces que fui a verlo a San Felipe me dijo que recibía a todo tipo de gente: "los más pobres y los más humildes", y a propósito de mí, sonrió, "y gente como usted". Y me recitó *La princesa*.

—¿De quién es? —pregunté.

Inmediatamente dijo un nombre que no recuerdo, ya que no tengo la memoria del padre Thomas. Tenía entonces más de noventa años.

Ese día, el padre Lefaubel no vino a comer y de pronto, a la hora del café, se me ocurrió pedirle al padre Thomas si le molestaría bendecir la casa. Aceptó con entusiasmo; justamente traía consigo una anforita de agua bendita. Y ahí vamos, yo tras de él, a toda velocidad recorriendo las piezas de la casa. Después lo llevé al pabellón.

—Aquí es donde vive el padre Paul Lefaubel —le dije.

No tomó en cuenta mi frase y echó agua bendita en todas partes.

Cuando le conté esto al padre Lefaubel rió y me preguntó si había yo exorcisado al demonio.

El sábado Carito nos esperaba a las cinco de la tarde. Con su voz cálida me había dicho por teléfono:

—Naturalmente, trae al padre Lefaubel, tengo muchas ganas de conocerlo.

Carito es mi prima hermana y mi amiga íntima. Mi llegada a México, a la edad de once, fue marcada por el encuentro con ella. Fue, por así decirlo, el *coup de foudre* de la amistad, a tal punto que sentí el deseo de manifestárselo. Este episodio sucedió en el baño del entresuelo de la gran casa de sus padres, en la calle de Abraham González. Un poco nerviosa le pregunté si quería ser mi amiga para toda la vida. Aún veo la sonrisa (que siempre ha conservado) y oigo su voz asegurándome que ninguna promesa era necesaria para un sentimiento que ya existía. Cincuenta años más tarde puedo afirmar que ni viajes, ni ausencias, ni palabras de ningún tipo nos han separado jamás. Cada vez que me he sentido inquieta, infeliz, insegura, voy a verla e invariablemente su convicción me tranquiliza, salvo una vez que tuvo que darme una noticia tan terrible que aún no sé cómo pude regresar a mi casa. Eso sucedió en 1955, cuatro años después de la llegada del padre y, en parte, siempre lo responsabilicé de ello.

Una vez más recurría a ella y le llevé al "redentor". Para mi sorpresa no sucedió absolutamente nada. Sentados frente a frente en su soleada biblioteca no encontrábamos nada qué decirnos. Contra su costumbre, el padre no atacó. Entonces Carito propuso enseñarle su taller y la terraza desde la que se veían los volcanes. Allí, en la azotea de la casa de San Jerónimo, el padre le hizo una única pregunta:

—Dígame, ¿siempre ha tenido usted esa estatura?

Comprendí perfectamente lo que quería decir, pero Carito le respondió.

—Un metro 70 desde los diecisiete años.

Regresamos a la biblioteca y el padre se excusó diciendo que tenía una cita. Lo dejamos irse en taxi. De pronto un cambio se operó en mí y ya no tenía ganas de seguirlo. Una vez a solas, le confesé a Carito muchas cosas y entre las dos pusimos todo en entredicho. Súbitamente me asaltó un pensamiento:

—¿Quién es él?

Y por primera vez regresó el temor de mi infancia: el diablo.

Carito propuso llevarme a mi casa. Al subir a su auto tuve la impresión de que una sombra fugitiva pasaba frente a nosotras y escuché la voz inquieta de Carito:

—¿Viste algo, Paulette?

Sin esperar mi respuesta, arrancó.

El sábado por la noche, Elena, ibas al baile del Club France. Te habías puesto el vestido blanco con flores azules que te daba el aspecto de una heroína de *Lo que el viento se llevó*. Desde niña habías aprendido de memoria un poema: *El Nomeolvides*. Yo te llamaba así: *Myosotis*, y esa noche me pareciste la encarnación misma de tu sobrenombre. Después de tu partida me puse a esperar el regreso del padre. Tenía un sentimiento de miedo como nunca en mi vida. Rosario en mano, iba de la recámara a la terraza desde la cual me asomaba al jardín. Mi espera fue terriblemente larga. A las doce escuché el timbre: el padre debía haber olvidado la llave. En bata, bajé la escalera, caminé hasta la reja y le dije:

—No quiero abrirle.

Se hizo un silencio de estupor. Por fin escuché su voz.

—¿Qué quiere usted decir?

—Se acabó. No quiero volver a verlo.

—Pero eso no es posible, ¿a dónde quiere usted que vaya yo a esta hora?

—No sé, a la iglesia, a un hotel.

—Es imposible, ¿dónde quiere usted que me reciban?

Percibí desesperación en su voz:

—¿Y mis cosas, mis camisas…?

Ah, sí, allí estaban sus cosas, las dos camisas que Johnny le había comprado. Había que ir por ellas, hacer su maleta. Era verdad, ¿a dónde iría a esa hora, probablemente sin dinero? Mi resolución cedió a la compasión, entonces le abrí la reja y le dije:

—Se irá usted mañana antes de misa y se llevará todas sus cosas. Nunca volverá usted a ver a un solo miembro de mi familia. Aquí están sus cartas.

Le tendí el paquete de cartas de Jeanne que había yo pensado pasarle a través de la reja.

—¿No las ha leído usted?

Su voz ahora era triste.

—No. Por nada del mundo las leería .. Me causan horror.

Con un suspiro de alivio entró a la calzada. Caminaba delante de mí, yo lo seguía, se detuvo y se volvió hacia mí:

—Pero en fin, Paulette, dígame usted, ¿qué es lo que le sucede?

—Me recuerda usted a Rasputín. Creo que hipnotiza usted a la gente y le hace daño.

Sonrió amargamente. De pronto me detuve.

—Dígame, ¿por qué siempre tengo sed?

Casi con odio me respondió:

—Hay que beber.

Después de verlo entrar en el pabellón me dispuse a esperarte, Elena. Tenía un miedo horrible de que saliera a tu encuentro. Había que impedirlo a toda costa.

En esa época vivías en casa de Bichette y vi la luz prendida en la recámara de mi hermana. Decidí ir a verla. Estaba sola. Después de escucharme, me contó lo que había sucedido la noche que el padre se quedó a cenar solo con ella. Se le había echado encima queriendo forzarla, parecía un loco, sus ojos oblicuos le infundieron terror:

—Soy un obseso sexual —le confesó.

Nunca en su vida había sentido Bichette tanto miedo. Me asombré, ¿por qué no me lo dijo?

—Nadie me habría creído, estaban demasiado felices con su presencia. Había que esperar a que se les pasara la euforia.

Nos encontraste en un estado de extrema sobreexcitación, pero no te diste cuenta a causa de tu propio encantamiento. Tus ojos azules brillaban maravillados:

—No pueden ustedes imaginarlo, en este baile todo el mundo hablaba como el padre.

—¿Cómo?

—Sí, todos decían como él: "De acuerdo" y peroraban acerca de la entrega total, del absoluto. Al escucharte, Bichette y yo perdimos todo escrúpulo. Nos quitábamos la palabra para acusarlo y conjurar el peligro que aún temíamos. Mientras tanto, tú, la pequeña Elena, te desvestías como sonámbula y sólo cuando te vi toda blanca en tu cama, tus ojos azules fijos en nosotros, me di cuenta del daño que te estábamos haciendo.

Una noche de esa semana de marzo de 1951, después de haber corrido al padre Lefaubel, desperté o más bien fui despertada por uno de esos movimientos de luz difíciles de explicar. También mi recámara estaba iluminada. Aún amodorrada, me enderecé sobre las almohadas y miré la luz que provenía de la ventana: tenía forma de triángulo.

Más tarde, para explicarle al padre Thomas, puse mis manos en forma de copa abierta hacia lo alto, pero en ese momento creí que eran los faros de un automóvil cuya claridad atravesaba mi terraza y volví a acostarme, esta vez del lado izquierdo. Apenas puse la cabeza sobre la almohada, pensé: "Mis cortinas son tan espesas que no dejan pasar la luz". Un gran espanto y al mismo tiempo una gran esperanza me cimbraron. Miré de nuevo hacia la ventana y la luz había desaparecido; estaba envuelta en tinieblas. Entonces, sentada en mi cama, con mi lámpara ahora sí prendida, me pregunté qué significaba esa luz.

A la mañana siguiente, al ver la invitación del padre

Thomas para el 25 aniversario de su sacerdocio, el 4 de abril, supe que esa luz era el Espíritu Santo.

Debo precisar que nunca antes una luz había llegado hasta mi recámara, no sólo debido a las dobles cortinas, sino por las de la terraza y por la lejanía de más de quinientos metros de mi casa hasta la calle de La Morena.

Una noche que Johnny dormía conmigo —le había cedido su pabellón al padre—, me despertó una luz interior; era de fuego y me penetraba el pecho, mi hombro tocaba el de Johnny y sentí que si no lo separaba, yo moriría. La impresión era tan fuerte que mi reflejo fue automático. Luego supe muy claramente que la luz iba a salir de mi cuerpo en tres tiempos. Sentí alivio pero también tristeza. Como tenía la cabeza apoyada sobre el brazo, sentí que un poco de luz pasaba de mi brazo a mi cerebro.

El 3 de abril tenía cita con el padre Gabriel Duchemin para confesarme a las nueve y media de la mañana. Me recibió en el locutorio del Colegio Franco Mexicano, del cual era director. Después de los preámbulos, me sorprendí a mí misma al interrumpirlo:

—¿Qué es esta mancha sobre mi mano?

Una mancha se había formado sobre el dorso sin que supiera cómo. No recordaba haberme golpeado.

El padre Gabriel hizo un ademán de asombro:

—No lo sé, señora.

Entonces escuché mi propia voz afirmar:

—Es la mancha del pecado original.

El padre se sobresaltó:

—¡Oh, no señora, la mancha del pecado original la borra el bautizo!

Se veía más bien aturdido, pero yo, que un minuto antes no pensaba siquiera en esa mancha y no tenía la menor idea de que iba a hablar de ella, me sentí manchada por los diez años que viví alejada de la Gracia.

Me condujo por numerosas escaleras y antes de entrar en la capilla, sobre el rellano, tuve un desfallecimiento. Le dije al padre que se debía al hecho de que iba a confesarme ante un sacerdote que conocía. Me respondió con una gran bondad que comprendía perfectamente. Entonces, ya tranquila, entré a la capilla. Era pequeña y bonita. Grandes ramos de gladiolas blancas y rojas decoraban la blancura del altar. El padre Gabriel se acercó a uno de los ramos y lo arregló con amor.

—Son bellos —me dijo— este blanco y este rojo.

—Sí —le respondí, son los colores de Polonia.

Se sentó tras de un tablón vertical de madera, me arrodillé del otro lado y comencé a confesarme. A medida que decía mis pecados sentí que mi cabeza volvía a levantarse; al final, mi velo blanco se encontraba más allá de la tabla que nos separaba.

¿Por qué escogí al padre Duchemin para confesarme? Sin duda por su aspecto seráfico y su inteligencia, su extrema lealtad y su entereza.

A la mañana siguiente, una violenta explosión sacudió toda la casa. Bajé de cuatro en cuatro a la cocina donde encontré a mi buena Feliza gimiendo: "Mis ojos están quemados, mis ojos están quemados…". El gas le había estallado en la cara abrasándole las cejas, los cabellos y las pestañas. Le abrí los ojos y le eché sin descanso gotas de sulfatiazol, que por suerte tenía en mi botiquín. Los demás criados le aplicaron una mascarilla de aceite mezclado con yema de huevo. Cuando volvió la calma pude llegar a la misa de acción de gracias del padre Thomas por sus veinticinco años de sacerdocio. Esta solemnidad tuvo lugar en la capilla de las Religiosas de la Cruz. Ante nosotros se alineaban las anchas capas blancas de los misioneros del Espíritu Santo y fue con una gran alegría y emoción que comulgué tras de ellos. De regreso a la casa, encontré a Feliza bien; sus quemaduras no dejaron la menor huella.

Una noche, hacia las doce, el teléfono sonó. Era el padre Duchemin. Me pareció turbado: "¿No quiere usted ver al padre Lefaubel?", me preguntó.

Le manifesté mi rechazo, pero él insistió:

—Usted le… —y se detuvo.

Entonces volví a decirle con fuerza:

—En la confianza y en el amor, no quiero volver a verlo.

Más tarde, cuando supe —de nuevo por medio del padre Gabriel Duchemin— que a Lefaubel lo habían internado en el Hospital Francés, fui a visitarlo. Parecía tan feliz de volver a verme que, conmovida, acepté regresar a verlo alguna otra mañana. Era el 26 de abril y había yo corrido al aeropuerto a despedir al príncipe y a la princesa Napoleón, que regresaban a Francia. Le conté que ésa era la razón de mi retraso. Me respondió:

—Lo sabía.

Después quiso recapitularlo todo, desde nuestro encuentro hasta la noche en que lo corrí, para aclarar mi desacuerdo final. Fue penoso y desgastante. Felizmente lo llamaron por teléfono y salió al corredor. Hice una oración al crucifijo que se encontraba encima de su cama pidiéndole que me ayudara. Había sentido la locura pasar entre sus ojos y los míos. Me levanté para tomar agua. En esa época siempre tenía sed. Cuando regresé, advertí sobre mi seno derecho unas manchas de agua. En una ocasión, al salir del pabellón había notado lo mismo sin darle importancia, ahora me pareció insólito. El padre regresó y se tendió de nuevo sobre la cama. Ante una frase suya en la que se traducía su inmenso sufrimiento tuve un ademán de compasión y le toqué la rodilla. Su gesto para apartarse fue instantáneo, como si una serpiente quisiera morderlo. Era su orgullo el que lo hacía actuar así. Le dije que a causa de mi gran cansancio no había yo podido venir a verlo y me dijo:

—Sí, yo sabía que usted podía reventar.

Quedé boquiabierta.

—Pero entonces ¿por qué no hizo usted nada?

Alzó los hombros:

—Uno siempre se recupera…

Después me contó:

—A las siete de la mañana sonó el teléfono en mi cuarto y una voz de hombre me dijo: "Si usted continúa metiéndose en mis asuntos va a recibir unas cuantas cachetadas".

—¿Era Sirol? —le pregunté.

—No, no era ninguna voz conocida. Una señora también me llamó para darme cita en la iglesia francesa a las siete de la noche.

—¿Y fue usted?

—No acepté porque era la hora de mi conferencia en el IFAL. Parecía perplejo.

Puesto que lo sobrenatural se había vuelto natural para mí, pensé que quizá la señora era la Santísima Virgen, pero guardé silencio.

La fe es un principio de vida y el hombre tiene como deber transformar su existencia en función de los principios sobrenaturales que le son dados. Sin este esfuerzo, la fe es letra muerta.

Xavier de Ayala

Vi de nuevo al padre Gabriel Duchemin al día siguiente, en casa de Bichette. Seguramente lo mandó llamar para hablarle de mi estado. En efecto, vivía exaltada y sin duda debía estar bastante angustiada, porque al acompañar al padre Gabriel hasta la reja le confié mi temor de volverme loca. Me tranquilizó inmediatamente y me dijo que eso no le sucedía jamás a quienes lo temían. Entonces le pedí que me esperara en la calzada y corrí a buscar mi libro de Evangelios. Le enseñé el capítulo 1 de San Mateo, V: 18:

Y he aquí como Jesucristo fue engendrado. María, su madre era novia de José, pero antes de que hicieran vida común, ella se encontró preñada por obra del Espíritu Santo. José, su esposo, que era un hombre recto y no quería denunciarla públicamente, decidió repudiarla sin ruido.

No recuerdo por qué le leí este pasaje pero él me dio la impresión de adjudicárselo y su rostro se aclaró cuando me repitió que San José no quería que se juzgara a la Santísima Virgen y decidió apoyarla. Se me ocurrió que Duchemin pensaba en el padre Lefaubel. En todo caso, Duchemin fue su ángel de la guarda porque más tarde, en Francia, Paul me dijo, al hablar de él:

—Gabriel fue maravilloso para mí.

Doce días después regresé a ver al padre Gabriel a su colegio y le dije que el padre Lefaubel podía hacerle daño a la gente. Él protestó:

—¡Oh, señora, conozco a personas a quienes les ha hecho tanto bien!

—Sí, pero Annie me dijo que podía hacerle daño a los jóvenes.

—¿Annie le dijo a usted eso? —me preguntó estupefacto.

Evidentemente la opinión de Annie tenía peso para él.

Antes de regresar a Francia, el padre Lefaubel quiso decirnos adiós. Fui a la misa de nueve que celebró y en la que me dio la comunión. En el automóvil, camino a casa, me dijo con una humildad que no le conocía, que me agradecía haber recibido la comunión de sus manos, a pesar de todo lo que sabía acerca de él. Luego dijo otra frase que me emocionó profundamente:

—Antes de dejarla, Paulette, quiero que sepa que usted es la persona que más ha reafirmado a Cristo dentro de mí.

Experimenté una gran alegría, por más paradójico que pueda parecer. El padre Paul Lefaubel había tenido razón al constatar que nos unía la amistad. Al llegar a casa encontramos a Kitzia en medio de la calzada. Al ver al padre estalló en sollozos. Él también se conmovió. Después fuimos a buscar a Johnny a su pabellón. Estaba en el baño, rasurándose. El padre le dijo que no quería irse sin decirle adiós. Johnny continuó afeitándose y ambos vimos con sorpresa su mano temblar tan fuerte que se cortó.

Tú no estabas en casa, Elena, pero anteriormente habías ido, a pesar de mi prohibición, a buscar al padre a los Scouts y le pediste explicaciones. Él nos dijo a Bichette y a mí que habíamos hecho mal al decirte lo que sabíamos de él.

—¿Por qué? —le pregunté.

—Porque han destruido en ella la imagen del sacerdote.

¿Por qué algunos de estos acontecimientos nos causaron a Bichette, a Johnny y a mí un miedo tan grande? En lo que a mí se refiere, lo resentí como si debiera afrontar un peligro desconocido que me helaba; Bichette me dijo que jamás en su vida había padecido un miedo igual y, sin embargo, vivió los bombardeos de Milán durante la guerra. También percibí el miedo de Johnny, ese héroe de guerra con ocho condecoraciones, cuyos hombres ensalzaron su extraordinario valor.

Después que se fue el padre Lefaubel, salí en el coche con Kitzia. En la esquina de la avenida Insurgentes, sobre la acera, esperaba un hombre que no sabría describir. Su aspecto me pareció demoniaco. Guardé silencio esperando con todas mis fuerzas que Kitzia no lo hubiera visto, pero ella, con la mayor tranquilidad, me dijo:

—Mamá, ¿viste a ese hombre?

Algún tiempo después, acostada en mi cama, viniste a tenderte junto a mí, Elena. Como siempre que platicábamos, sentía en esos momentos de tregua el sabor de la felicidad tranquila. Hablabas del padre Lefaubel. Al comentar la belleza de su rostro, me dijiste que no te gustaba su boca:

—No —dije yo—, ni su sonrisa un poco torcida. En ese momento un fuerte viento penetró en la casa y sentí el miedo más atroz de mi vida. El espanto en todo su horror estaba dentro mí. No te dije nada, pero la impresión fue tan grande que aun hoy no puedo trasmitirla. Mi intención no es hacer creer que el padre Lefaubel era el demonio, no, mi convicción es otra. Creo que hay momentos en nuestra existencia en que el demonio se apropia de nosotros porque sin saberlo permitimos el mal.

Al ver las fotografías que publicó *Paris-Match* el 1 de enero de 1972 sobre la guerra de Paquistán, no sólo resulta terrorífico el aspecto diabólico del general Abdel Kader, quien revienta con su bayoneta los tórax superpuestos de dos hombres ajusticiados, sino también los rostros exultantes de los jóvenes que se divierten aterrorizando sospechosos. Me pregunto: ¿saben lo que hacen?

Ocho días después del regreso a Francia del padre Lefaubel, un amigo de Johnny, Jean Lacombe vino a comer. Era la viva imagen del hombre práctico que sabe hacer dinero. Su espíritu sarcástico escondía una sensibilidad tan refinada como su inteligencia. Nos contó que había ido a los toros y visto a los espectadores seguir la corrida con una televisión y unos audífonos: "Ah —dije yo—, al fin que viendo no ven y oyendo no entienden" y la concurrencia estalló en una carcajada feliz. Pero Jean Lacombe tuvo un relámpago de miedo en sus ojos desconfiados.

—Pasa algo muy extraño en esta casa —fue su único comentario.

Sí, Jean Lacombe, pasaba algo extraño en esa casa y lo

más sorprendente es que lo hayas captado. Alguna vez el padre Lefaubel comentó ese pasaje del Evangelio en el que Cristo dijo que hablaba en parábolas porque los que lo seguían veían sin ver y oían sin entender, y me preguntó: "¿Por qué?" Entonces le respondí que era quizá porque la gente no tenía la inteligencia para ver ni comprender el mensaje directo de Cristo o tenía miedo de comprender o interpretarlo mal. Quizá también, ésa era su excusa, ¿no había dicho Cristo clavado en su cruz, en el momento de morir?: "Padre, perdónalos, porque no saben lo que hacen". ¿No era mejor que no supieran lo que hacen?

Pero ¡malditos los que saben lo que hacen, porque para ellos no habrá perdón!

Un año más tarde, mamá fue internada en el Hospital Francés para ser operada de cáncer. El padre Thomas vino a verla. Casualmente nos encontrábamos sentados en la misma banca del jardín en la que había vuelto a ver al padre Lefaubel, y sin haber hablado antes de él, el padre Thomas empezó a darme las distintas razones de ser de los Misioneros del Espíritu Santo; una de ellas, la oración por los malos sacerdotes. Me llamó la atención y le conté que sobre esa misma banca había yo acompañado a un sacerdote francés enfermo y atormentado.

Volví a ver a Lefaubel cuatro años más tarde en París. Ya no era sacerdote y lo primero que me dijo fue:

—No, Paulette, no soy el diablo.

Ni ángel ni demonio; había engordado. Al cruzarme con él en la calle ¿lo habría reconocido? Se había transformado en un hombre común y corriente.

La aceptación del sacrificio

*E*n 1953, cuando entraste como periodista a *Excélsior*, te ofrecieron un viaje al Caribe sobre un barco blanco, el "Antilles", anclado en Nueva Orleans. Mamá tenía entonces 73 años y un gran deseo de conocer esa ciudad. Decidió acompañarte. En la estación de Buenavista me regocijé con ustedes al ver sus rostros redondos y alegres en la ventanilla del tren. En el hotel de Nueva Orleáns durmieron juntas en una gran cama de baldaquino. Mamá te acompañó hasta el muelle, te vio salir en el barco y regresó sola en tren a la ciudad de México.

Fue su último viaje.

Este amor de mamá hacia ti, Elena, se transmitió a tu hijo Mane. Para hacerlo reír recuerdo que bailaba frente a él un bailecito encantador. Él le preguntaba a la hora de la cena, cuando a ella le subían su charola a la cama: "¿Qué, acaso no te queda alguna hojita de alcachofa?", porque a él le gustaban las alcachofas. Mane sólo tenía tres años cuando mamá nos dijo: "De todos ustedes es el único que me pregunta si todavía me duele la cabeza".

Mamá murió el 8 de septiembre de 1958, tan bella en su cama con sábanas de encaje sobre las cuales descansaban sus manos admirables. Su rostro iluminado por una sonrisa feliz, esa misma sonrisa que había impresionado a mi amigo el padre José Gallegos Rocafull. Quise que Jan la viera así. Tenía once años y me dijo:

—Parece una santa.

Diez años más tarde, el 8 de diciembre de 1968, día de la Inmaculada Concepción, Jan se mató en un accidente de automóvil. El año anterior, exactamente en la misma fecha, el 8 de diciembre de 1967, tuve un accidente grave en la carretera a Tequisquiapan a causa de la grava regada que hizo derrapar a tres automovilistas. Me detuve, pero el tercer coche que venía en sentido contrario frenó tan bruscamente que el chicotazo en la parte trasera de mi Peugeot nos proyectó a los cuatro dentro del interior del automóvil y le provocó una conmoción cerebral a Mane. La frente de Diego se cubrió de un enorme chichón. Santiago perdió el conocimiento y mi nariz rota sangraba en abundancia. Por fin un automóvil se detuvo y su conductor, un español, nos llevó a la clínica de la Cruz Roja de San Juan del Río. A lo largo del trayecto, Diego rezaba: "Jesús mío, Virgen María, que no se muera Santiago". Tenía ocho añitos, Mane que tenía doce repetía incansablemente: "¿Qué pasó, abuelita, qué pasó?" Un joven médico cerró la herida de Santiago con diecisiete puntos de sutura en la cabeza. Asimismo, arregló mi nariz rota, la verdad, muy bien. Entre tanto, Johnny, tú,

Elena, y Kitzia llegaron a socorrernos y alquilaron una ambulancia para traernos al Hospital Francés. Según las radiografías ninguno de los niños tenía un hueso roto. El doctor Fernando Ortiz Monasterio llegó a verme y lo primero que le dije fue:

—Caco, qué bien vestido estás.

Es de una elegancia suprema. Examinó mi nariz cosida con hilo negro y dijo:

—Yo no lo habría hecho mejor.

Cuando Jan cumplió doce años, un muchacho vino a avisarnos que había tenido un accidente sobre el puente de La Morena. Apenas nos dio la noticia me llegó el recordatorio fulminante: ¿sería eso?, pero lo deseché porque no había tiempo que perder.

Cinco minutos más tarde, Johnny, Lydia y yo estábamos cerca de Jan, muy blanco, acostado sobre la acera, los ojos grandemente abiertos, un poco de sangre pegada a su oreja. Me dijo que le dolía sobre todo el brazo izquierdo. Para mi gran alivio, tuve la impresión de que no era nada grave. Llegó una ambulancia de la Cruz Roja y subí a su lado. En la Cruz Roja lo vendaron y nos hicieron esperar mucho para darnos el permiso de llevárnoslo al Hospital Francés. Después de dos horas que nos parecieron muy largas, nos dejaron ir. En el hospital, los médicos confirmaron que sólo estaba roto el brazo y que sus heridas eran superficiales. Jan permaneció cuatro días en el hospital. Muy pronto, sobre su brazo enyesado aparecieron las firmas de todos sus amigos.

Largo tiempo después escuché en misa la lectura del sacrificio de Abraham, a quien Dios le pidió la oblación de su hijo. ¿Por qué había detenido su brazo? Dios quería la aceptación de Abraham y no el sacrificio de lo que más amaba en el mundo. También a mí me había pedido el sacrificio: la separación de mi hijo, y yo había aceptado. Sin duda, Dios me había perdonado y de ahora en adelante, podría estar tranquila en cuanto a Jan. Por lo tanto, cuando Jan tuvo catorce años, con gran serenidad lo vi irse a Francia, segura de que ya nada podía pasarle. Sin embargo, quince días antes de su muerte, en el momento en que iba a salir con sus amigos, lo detuve:

—Jan, ¿te importaría mucho morir?

Con una sonrisa desenvuelta me dijo:

—No me gustaría mucho.

¿Por qué lo recogió Dios a los veintiún años? Fue para mí el ser más bello que conocí, el más misterioso; frente a mí él era toda eternidad, yo niña en el tiempo y él sin edad. ¿De dónde le venía ese desprendimiento, ese control de sí mismo, esa indiferencia impalpable que me volvía impotente para asirlo? Lo miraba yo como se mira a una estatua, rodeándolo sin poder abarcarlo. No estaba al alcance de mi mano y no me atrevía a tocarlo. Dos días antes de su muerte, le dije adiós en su recámara porque me iba con Johnny al campo. Cuando le entregué el dinero para su fin de semana, diciéndole que me apenaba no darle más, sentí una gran corriente de amor que salía de él hacia mí. Sin decirnos una palabra sabíamos que nos amábamos infinitamente. Fue la última vez que lo vi.

El padre Thomas murió seis meses después de Jan. Asistí a su agonía en un pequeño cuartito de ese mismo Hospital

Francés. Sentado en su cama para respirar mejor parecía un ave en espera de emprender el vuelo.

Hacia las doce de la noche nos pidieron que saliéramos al corredor. La religiosa de la Cruz, sor María de la Luz, quien alguna vez empujó a mi pequeño Jan en una carretilla en su jardín de San Ángel, vino hacia mí:

—Ya fue a encontrar a su hijo.

Una mañana, de regreso de la iglesia de La Piedad, me senté a la mesa del desayuno y, de pronto, me puse a llorar.

—¿Qué tienes, mamá? —me preguntó Jan.

Le respondí:

—Estoy triste de ir siempre sola a misa.

—Te comprendo perfectamente, mamá; la próxima vez, yo te acompaño.

Su rostro atento y tierno mostraba la verdad de sus palabras. En efecto, vino una vez conmigo. Se sentó lejos, en las últimas bancas. Volví la cabeza para mirarlo y vi su perfil ausente. Como siempre, me preguntaba yo cuáles serían sus pensamientos. Pero ves, Elena, creo que ese gesto de Jan grabado en mi corazón con un agradecimiento infinito, está también grabado en el corazón de Dios.

Por darme gusto, tu papá compró un terreno cerca de la hacienda en donde fui tan feliz de niña, La Llave, en Tequisquiapan. Íbamos a caballo y avanzábamos lentamente; de pronto le pregunté:

—¿Por qué no espoleas a tu caballo?

—Sí lo hago —respondió—, pero se para en seco.

Un hombre de sombrero se detuvo a nuestro paso en el camino sobre la margen del río:

—¿Desean ustedes algo? —nos preguntó.

—Perdone, señor, si invadimos su propiedad, pero es que estos árboles me recuerdan muchísimo a los de La Llave.

—Ah, ¿conoció usted La Llave?

—Sí, perteneció a mi abuelo, Felipe Yturbe, y después a mi tío.

—Entonces les ruego que vengan a mi casa a conocer a mi mujer. Ella vivió en La Llave.

Después de tantos años, caímos en brazos la una de la otra.

—Sí —me aclaró ella—, mi padre era el administrador de la hacienda, se llamaba Felipe García.

Felipe García era el único administrador memorable, sobre todo por su hijo Armando, quien me acompañaba en mis recorridos a caballo. Armando fue la razón de una de mis confesiones cuando, vestida de blanco y con mi sombrero de fieltro, y arrodillada directamente ante el sacerdote a pesar de las miradas de desaprobación de las señoras de mantillas negras que sólo decían sus pecados al lado del confesionario, me acusé de un beso dado y recibido muy cerca de la boca.

Tu papá dedicó sus últimos años a la construcción de Los Nogales. Dibujó al menos 70 planos de la casa principal que se alza en forma de escuadra. A mi departamento le puso vigas de madera. Las demás piezas tienen bóvedas catalanas hechas por albañiles venidos de San Juan de los Lagos. Comenzaban a levantarlas en redondo acumulando los ladrillos hasta llegar al centro. Desde lo alto de su escalera vi al obrero colocar el último adobe en la oscuridad con la ayuda de una vela. Así formó una flecha que iba de norte a sur para sostener y equilibrar el techo. Una belleza.

A Johnny le costó una infinidad de molestias encontrar en Querétaro quién le fabricara un vidrio lo suficientemente grande para el ventanal, a fin de tener la vista completa del jardín y de la montaña.

Siempre he amado a los obreros mexicanos, su manera tranquila de construir casas para los demás con la mayor naturalidad, sin asomo de envidia.

Así, gracias a Johnny, a su talento y a su esfuerzo, mis bellos nogales, con el gran consuelo de su ramaje, entraron a nuestras vidas para siempre.

Tu papá falleció el 26 de julio de 1978, diez años después de Jan.

Hace años, Elena, me escribiste a propósito de mi cumpleaños. "No tenía la menor idea de cuándo era. Nunca quisiste decírnoslo", y yo te respondí entonces:

Hoy, la madre del 'Nomeolvides' tiene cuarenta y dos años. Cuarenta y dos años de sueños, de debilidades, de ternura acumulada y también de pereza".

Sí, lamento no haber aprendido algo a fondo: historia, antropología, literatura, a hacer una buena *omelette* a la francesa como las que le gustaban a tu papá. Lo único que hago bien es manejar.

En uno de mis últimos aniversarios, me hiciste un regalo soberbio: Felipe. Nació, como yo, un 4 de junio, con sesenta años de diferencia. Considero que todos mis nietos son un regalo: Pablo, Mane, Alejandro crucificado, Santiago, Diego, Kitzia, Felipe y mi Paula.

Un día que Pablo metió a Ximena muy niña en la alberca de agua tibia le dije:

—Esta niña es un milagro.

Con una mirada profunda, Pablo me respondió:

—Sí, es un milagro.

Sé que cuando sucedió todo lo relacionado con el padre Lefaubel, muchos miembros de la familia me creyeron enferma de histeria. Reconozco haber tenido momentos de exaltación, no de histeria. Hundida en un sueño profundo, la luz me despertó. No comprendí de inmediato su significado, pero la palabra sí, es decir, ese sentimiento interno de una comunicación divina. Llorando, recibí y acepté el sacrificio demandado: la separación de mi hijo Jan.

Tal vez todo esto pueda parecerte extraño. Para mí lo fue y sigue siéndolo. Lo único que se afirmó fue mi propia persona. Yo era un ser más bien flotante, borroso, y me volví alguien preciso. Desde entonces tengo certidumbres.

El ensueño

n la semioscuridad mañanera contemplé los cuadros de mi recámara: una acuarela de una casita sobre el camino a Bayonne, una de la catedral, tres paisajes muy bien pintados por el tío Pipo y dos cuadros de flores de la amiga de mi madre, Mathilde Sée. De pronto comprendí que esos cuadros me retrataban; eran ellos los verdaderos representantes de mi vida, porque mi infancia es nítida, mientras que el resto de mi existencia se volvió nebulosa y mi propia persona borrosa, como lo interpretó tu papá al poner un signo de interrogación a mi perfil dibujado en una hoja blanca.

En los árboles, en la casa de Los Nogales, construida con gruesos adobes sacados de la tierra para poner en ella el agua cristalina de la alberca, Johnny invirtió toda su energía de artista frustrado.

Ahora sus bisnietos corren bajo los árboles, en el prado que él quiso verde y amplio. Quizá algún día sepan que gracias a él pueden respirar la felicidad.

Al padre Lefaubel le tengo un gran agradecimiento porque me abrió los ojos. Me dijo: "No sabe usted que Johnny es su verdadero amor." Me quedé sin habla. El padre constató: "Ah, ¿lo ve usted?".

No estaba muy enamorada de tu papá. No lo estaba de nadie. ¿Qué sabía yo del amor? Sabía que quería tener hijos hermosos e inteligentes. Los tuve. Entre tu padre y yo, a pesar de nuestras diferencias, siempre hubo una gran comprensión que ayudó a un amor creciente.

Quiero que sepan, creo que ya lo saben, mis dos niñas vueltas grandes, que su valentía, Elena, Kitzia, será siempre enorme. Poco a poco el ensueño crecerá y nos envolverá en mucho amor.

Mamá

Epílogo

Leí primero en francés las memorias de Paulette Amor Poniatowska, tal como las escribió a lo largo de cuarenta años. Me dijo que emprendió su escritura a causa de una revelación sobrenatural de carácter espiritual. Fue el "Testimonio" lo que originó el deseo de escribir las memorias. Para Paulette, el testimonio fue el centro de su vida y la afirmación de su persona.

"Como una luz que disipa las tinieblas", el relato se inicia en el mes de marzo de 1951 con esta frase: "En el seno de mi desesperación llamé al Señor y Él me acogió". Paulette nos dice: "Una noche que estaba particularmente desesperada, hice una oración. Le expresé a Dios mi deseo de regresar a Él". Unos días después, Paulette aceptaba el sacrificio que sentía que Dios le pedía: separarse de su hijo. "Perdóname, Dios mío, pero me pareció que me hablabas. No se escuchaba ninguna voz, pero tenía la certeza interior, no sabría decir si de su presencia, pero sí de su voluntad."

Quiero confrontar lo que refiere Paulette en su testimonio con lo expresado en la obra de I. Sezz, *La prière du coeur*. La lectura del relato de un peregrino ruso a su padre espiritual me llevó a leer otro que éste popularizó: *La filocalia*, una compilación de textos de padres griegos, teólogos, místicos, de los siglos V al XIX. El libro comienza con el estudio de *La prière du coeur*: "El cuerpo también recibe los efectos de la iluminación, si tu ojo (tu corazón) está sano, todo tu cuerpo será iluminado" (Mateo 6-22).

Paulette dice: "Me sentí atravesada por una luz tan fuerte, y tuve la impresión de que brotaba de todos mis poros... Mírate en el espejo... y vi un rostro extraño con los ojos muy negros y muy brillantes...".

"El primer efecto de la oración es la iluminación" dice Sezz, así el ser recibe su armonía interior, su unidad. Paulette escribe: "¡No comprendí de inmediato el significado de la luz, pero sí ese sentimiento interno de comunicación divina y me transformé en algo preciso; se afirmó mi propia persona".

En *La prière du coeur* podemos leer: "Los ojos del corazón se abren a la luz divina. El corazón se ilumina y, a través de él, el ser entero. Esta iluminación procede de un acto del Espíritu Santo y comprende ese sentimiento interno de comunicación divina".

Uno de los padres griegos del siglo XIV, Gregorio Palamas, formula la doctrina de "las energías divinas". Las energías del corazón son confirmadas y con su resplandor transfiguran el ser entero. Esta experiencia la vivió Paulette en tres ocasiones: una en el pabellón, con Annie T. y el padre Lefaubel; otra en el jardín, con su mamá, y la tercera en la recámara de Kitzia, cuando su hija le pide que se vea en el espejo. En las tres ocasiones las personas que la rodean constatan la iluminación.

En su testimonio, Paulette habla del sacrificio de Abraham y lo equipara con el sacrificio que hace ella misma de su hijo Jan, un sacrificio aceptado: "Ese hijo tan amado, el ser más bello que conocí; sin decirnos una palabra sabíamos que nos amábamos infinitamente."

¿Cómo explicar esa actitud? Como resultado de una fe total, absoluta: la identificación con Dios.

En *La filocalia* leemos que el hombre es deificado. La deificación es obra de la gracia, como la de Paulette y Jan. He aquí al Padre que ama infinitamente al hijo que sacrifica por amor al hombre; a la madre que acepta el sacrificio de su hijo Jesús y al Hijo que acepta la voluntad del Padre, aunque no era la de su naturaleza humana: "Padre, si es posible, aparta de mí este cáliz, pero hágase tu voluntad."

La relación de Paulette con el padre Lefaubel sucedió al mismo tiempo que su experiencia espiritual. Fue una relación muy breve pero muy intensa; extraña y controvertida, de afecto y de rechazo. La marcó profundamente y fue, tal vez, el factor que hizo aflorar la revelación que más tarde experimentaría Paulette y que relata en su testimonio.

Estamos ante un relato de recuerdos escritos con mucho encanto y sorprendente manejo del arte de la memoria. Paulette remata el drama de su vida y hace de él un poema. Al leerlo le digo, de viva voz y por escrito: "Dolores Paula Amor, no hay amor sin dolor".

Manuel Pliego

Esta edición consta de 10,000 ejemplares
impresos en julio de 1996, en los
talleres de **Mundo Color Gráfico S.A. de C.V.**
Calle B No. 8 Fracc. Ind. Pue. 2000,
Puebla, Pue.
Tels. (9122) 82-64-88, Fax 82-63-56